초등 필수 영어 문장

천일문

3 6 5 일력

쎄듀

저자

김기훈	現 ㈜ 쎄듀 대표이사
	現 메가스터디 영어영역 대표강사
	前 서울특별시 교육청 외국어 교육정책자문위원회 위원
저서	천일문 / 초등코치 천일문 / 천일문 GRAMMAR
	왓츠 Grammar / 왓츠 Reading / 패턴으로 말하는 초등 필수 영단어
	Oh! My Grammar / Oh! My Speaking / Oh! My Phonics 등

쎄듀 영어교육연구센터
쎄듀 영어교육센터는 영어 콘텐츠에 대한 전문지식과 경험을 바탕으로
최고의 교육 콘텐츠를 만들고자 최선의 노력을 다하는 전문가 집단입니다.

인지영 책임연구원 · 남다현 연구원

마케팅	콘텐츠 마케팅 사업본부
영업	문병구
제작	정승호
디자인	윤혜영 · 이승연
영문교열	Stephen Daniel White

펴낸이	김기훈 김진희
펴낸곳	㈜쎄듀/서울시 강남구 논현로 305 (역삼동)
발행일	2023년 2월 7일 초판 1쇄
내용 문의	www.cedubook.com
구입 문의	문의 콘텐츠 마케팅 사업본부
	Tel. 02-6241-2007
	Fax. 02-2058-0209
등록번호	제22-2472호
ISBN	978-89-6806-276-6

이렇게 활용해 보세요!

① 식탁이나 책상 위와 같이 자주 볼 수 있는 곳에 두고
   매일 한 장 날짜에 맞춰 넘겨보세요.

② 오늘의 문장을 확인하고, 그림을 보면서
   어떤 의미인지 생각해보세요.

③ 음성 듣기 QR 코드를 인식해서,
   오늘의 문장을 원어민의 발음으로 듣고 따라 읽어보세요.

④ 음성을 반복해서 들으며 오늘의 문장을 실감 나게 연습해보세요.

⑤ 패턴 복습 QR 코드를 인식해서,
   쉽고 재미있는 초코언니의 유튜브 영상을 확인해보세요.

⑥ 한 주의 마지막 이틀 동안은 배운 표현을 복습하고
   가족들과 함께 대화를 주고받아 보세요.
   배운 표현은 실생활에서 자유롭게 활용해 보세요.

Week	배울 문장 패턴
27th week	He was ~. / She was ~.
28th week	I should ~. / You should ~.
29th week	You must ~.
30th week	I went ~.
31st week	I put it ~.
32nd week	I didn't ~.
33rd week	Did you ~?
34th week	I have to ~. / You have to ~.
35th week	Will you ~?
36th week	You don't have to ~.
37th week	I'm -ing ~.
38th week	He's -ing ~. / She's -ing ~.
39th week	What are you -ing ~?
40th week	You look ~.
41st week	I'm getting ~.
42nd week	There's no ~.
43rd week	What do you ~?
44th week	He will ~. / She will ~.
45th week	I used to ~.
46th week	Don't ~. / Where is ~?
47th week	What a[an] ~! / I want to ~.
48th week	Let's ~. / I don't want to ~.
49th week	How do you~? / What's ~?
50th week	Where did you ~? / I like to ~.
51st week	I started -ing ~.
52nd week	It looks like ~. / I'm going to ~.

구성 및 특징

미리보기 [Day 1 ~ Day 5] 하루 한 문장씩 말해요!

오늘의 문장과 패턴을 확인해요.
교육부 지정 초등 필수 의사소통 표현을 담았습니다.

날짜를 어떻게 읽는지 확인할 수 있어요.

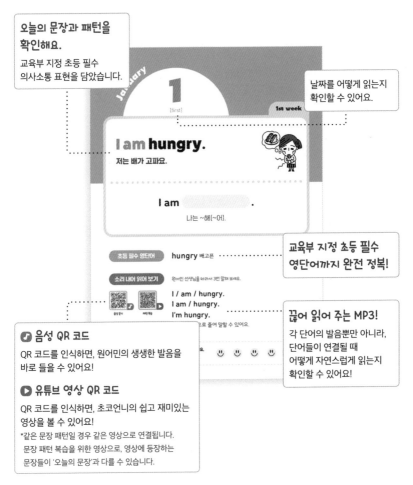

January

1
[first]

1st week

I am hungry.
저는 배가 고파요.

I am _____.
나는 ~해[~어].

초등 필수 영단어 hungry 배고픈

교육부 지정 초등 필수 영단어까지 완전 정복!

소리 내어 읽어 보기 원어민 선생님을 따라서 3번 말해 보세요.

I / am / hungry.
I am / hungry.
I'm hungry.

_____으로 줄여 말할 수 있어요

😊 😊 😊 😊 😊

끊어 읽어 주는 MP3!
각 단어의 발음뿐만 아니라, 단어들이 연결될 때 어떻게 자연스럽게 읽는지 확인할 수 있어요!

🎵 음성 QR 코드
QR 코드를 인식하면, 원어민의 생생한 발음을 바로 들을 수 있어요!

▶ 유튜브 영상 QR 코드
QR 코드를 인식하면, 초코언니의 쉽고 재미있는 영상을 볼 수 있어요!
*같은 문장 패턴일 경우 같은 영상으로 연결됩니다. 문장 패턴 복습을 위한 영상으로, 영상에 등장하는 문장들이 '오늘의 문장'과 다를 수 있습니다.

MP3 파일은 쎄듀북 홈페이지에서 무료로 다운로드 가능합니다.

www.cedubook.com

Week	배울 문장 패턴
1st week	I am ~. / I'm not ~.
2nd week	You are ~. / Are you ~?
3rd week	He is ~. / She is ~.
4th week	She is in ~. / He is in ~.
5th week	This is ~.
6th week	That's ~.
7th week	There is ~.
8th week	I have ~.
9th week	It is ~.
10th week	I like ~.
11th week	It's ~.
12th week	I want ~. / I need ~.
13th week	I don't ~.
14th week	I hate ~.
15th week	Do you ~?
16th week	He has ~. / She has ~.
17th week	Does he ~? / Does she ~?
18th week	There are ~.
19th week	Is there any ~? / Are there any ~?
20th week	I can ~. / I can't ~.
21st week	You can ~.
22nd week	Can I ~?
23rd week	Can you ~?
24th week	I will ~. / We will ~.
25th week	I won't ~.
26th week	I was ~.

구성 및 특징

미리보기 [Day 6 ~ Day 7] 배운 문장을 복습해요!

5일 동안 배운 표현을 복습해요.

복습과 예습을 동시에!
앞에서 배운 문장 패턴과 앞으로 배울 패턴을 동시에 연습해볼 수 있어요.

음성 QR 코드
QR 코드를 인식하면, 대화를 원어민의 발음으로 들을 수 있어요.

패턴과 함께 사용할 수 있는 응용 표현!
제시된 표현으로 더 많은 문장을 말해 볼 수 있어요.

음성 QR 코드
QR 코드를 인식하면, 응용 표현과 문장 을 원어민의 발음으로 들을 수 있어요!

Let's talk! 이번 주에 배운 문장으로 가족들과 함께 대화를 주고받아 보세요.

Look at that painting.
저 그림 좀 보세요.

Wow, it looks like a real one.
우와, 진짜인 것처럼 보이는구나.

Do you have any plans tomorrow?
너는 내일 계획 같은 거 있니?

I'm going to meet my friends.
저는 제 친구들을 만날 거예요.

• **look at** ~을 보다 • **painting** (물감으로 그린) 그림 • **plan** 계획
• **tomorrow** 내일

1
January

Let's speak! 이번 주에 배운 문장을 복습해 보세요.

It looks like **a spider.** 그것은 거미처럼 보여.

It looks like **a fun game.** 그것은 재밌는 게임 같아.

It looks like **a real one.** 그것은 진짜인 것처럼 보여.

I'm going to **study harder.**
나는 더 열심히 공부할 거야.

I'm going to **learn to swim.**
나는 수영하는 것을 배울 거야.

I'm going to **meet my friends.**
나는 내 친구들을 만날 거야.

이번 주에 배운 패턴과 함께 다음과 같은 표현도 말해 보세요.

It looks like ~.
(그것은) ~ 같아 보여(~인 것 같아).

I'm going to ~.
나는 ~할 거야.

- **a difficult question** 어려운 문제
- **a new bike** 새 자전거

- **play outside** 밖에서 놀다
- **take a shower** 샤워하다

I am **hungry.**

저는 배가 고파요.

I am _____.

나는 ~해(~어).

초등 필수 영단어　　**hungry** 배고픈

소리 내어 읽어 보기　　원어민 선생님을 따라서 3번 말해 보세요.

음성듣기　패턴복습

I / am / hungry.
I am / hungry.
I'm hungry.

*I am은 I'm으로 줄여 말할 수 있어요.

오늘의 문장을 연습한 만큼 스마일에 동그라미 해보세요.
연습이 끝났다면 왕 스마일에 표시!

I'm going to meet my friends.

나는 내 친구들을 만날 거야.

I'm going to   .

나는 ~할 거야.

초등 필수 영단어   meet 만나다   my 나의   friend 친구

소리 내어 읽어 보기   원어민 선생님을 따라서 3번 말해 보세요.

음성 듣기   패턴 복습

I am / going to / meet / my / friends.
I'm going to / meet my friends.
I'm going to meet my friends.

오늘의 문장을 연습한 만큼 스마일에 동그라미 해보세요.
연습이 끝났다면 왕 스마일에 표시!

2
[second]

I am sleepy.

저는 졸려요.

I am _____ .

나는 ~해(~어).

초등 필수 영단어　　**sleepy** 졸린, 졸음이 오는

소리 내어 읽어 보기　　원어민 선생님을 따라서 3번 말해 보세요.

음성 듣기　패턴 복습

I / am / sleepy.
I am / sleepy.
I'm sleepy.

*I am은 I'm으로 줄여 말할 수 있어요.

오늘의 문장을 연습한 만큼 스마일에 동그라미 해보세요.
연습이 끝났다면 왕 스마일에 표시!

28

[twenty-eighth]

I'm going to learn to swim.

나는 수영하는 것을 배울 거야.

I'm going to _____.

나는 ~할 거야.

초등 필수 영단어   **learn to swim** 수영하는 것을 배우다

소리 내어 읽어 보기   원어민 선생님을 따라서 3번 말해 보세요.

음성 듣기

패턴 복습

I am / going to / learn / to swim.
I'm going to / learn to swim.
I'm going to learn to swim.

오늘의 문장을 연습한 만큼 스마일에 동그라미 해보세요.
연습이 끝났다면 왕 스마일에 표시!

3
[third]

I am th

저는 목이 말라요.

I am _____.

나는 ~해(~어).

초등 필수 영단어

thirsty 목이 마른

소리 내어 읽어 보기

원어민 선생님을 따라서 3번 말해 보세요.

음성 듣기

패턴 복습

I / am / thirsty.
I am / thirsty.
I'm thirsty.

*I am은 I'm으로 줄여 말할 수 있어요.

오늘의 문장을 연습한 만큼 스마일에 동그라미 해보세요.
연습이 끝났다면 왕 스마일에 표시!

I'm going to **study harder.**

나는 더 열심히 공부할 거야.

I'm going to ....

나는 ~할 거야.

초등 필수 영단어

study 공부하다 **harder** 더 열심히

소리 내어 읽어 보기

원어민 선생님을 따라서 3번 말해 보세요.

음성 듣기   패턴 복습

I am / going to / study / harder.
I'm going to / study harder.
I'm going to study harder.

오늘의 문장을 연습한 만큼 스마일에 동그라미 해보세요.
연습이 끝났다면 왕 스마일에 표시!

I'm not **sure.**

저는 잘 모르겠어요.

· ·

I'm not

나는 ~하지 않아.

초등 필수 영단어   **sure** 확실히 아는

소리 내어 읽어 보기   원어민 선생님을 따라서 3번 말해 보세요.

음성 듣기

패턴 복습

I / am / not / sure.
I am / not / sure.
I'm not sure.

*I am은 I'm으로 줄여 말할 수 있어요.

오늘의 문장을 연습한 만큼 스마일에 동그라미 해보세요.
연습이 끝났다면 왕 스마일에 표시!

26

[twenty-sixth]

It looks like a real one.

그것은 진짜인 것처럼 보여.

It looks like _____.

(그것은) ~ 같아 보여(~인 것 같아).

초등 필수 영단어   **real** 진짜의

소리 내어 읽어 보기   원어민 선생님을 따라서 3번 말해 보세요.

음성 듣기

패턴 복습

It / looks / like / a real one.
It looks like / a real one.
It looks like a real one.

오늘의 문장을 연습한 만큼 스마일에 동그라미 해보세요.
연습이 끝났다면 왕 스마일에 표시!

I'm not **ready.**

저는 준비가 되지 않았어요.

- -

I'm not   .

나는 ~하지 않아.

초등 필수 영단어   **ready** 준비가 된

소리 내어 읽어 보기   원어민 선생님을 따라서 3번 말해 보세요.

음성 듣기

패턴 복습

I / am / not / ready.
I am / not / ready.
I'm not ready.

*I am은 I'm으로 줄여 말할 수 있어요.

오늘의 문장을 연습한 만큼 스마일에 동그라미 해보세요.
연습이 끝났다면 왕 스마일에 표시!

It looks like a fun game.

그것은 재밌는 게임 같아.

It looks like   .

(그것은) ~ 같아 보여(~인 것 같아).

초등 필수 영단어   **fun** 재미있는   **game** 게임

소리 내어 읽어 보기   원어민 선생님을 따라서 3번 말해 보세요.

음성듣기

패턴 복습

It / looks / like / a fun game.
It looks like / a fun game.
It looks like a fun game.

오늘의 문장을 연습한 만큼 스마일에 동그라미 해보세요.
연습이 끝났다면 왕 스마일에 표시!

Let's speak! 이번 주에 배운 문장을 복습해 보세요.

I am **hungry.** 저는 배가 고파요.

I am **sleepy.** 저는 졸려요.

I am **thirsty.** 저는 목이 말라요.

I'm not **sure.** 저는 잘 모르겠어요.

I'm not **ready.** 저는 준비가 되지 않았어요.

이번 주에 배운 패턴과 함께 다음과 같은 표현도 말해 보세요.

I am ~.	**I'm not ~.**
나는 ~해(~어).	나는 ~하지 않아.

- **angry** 화가 난
- **tired** 피곤한
- **nervous** 긴장한
- **worried** 걱정하는, 걱정스러워 하는

It looks like a spider.

그것은 거미처럼 보여.

It looks like
[그것은] ~ 같아 보여[~인 것 같아].

초등 필수 영단어   spider 거미

소리 내어 읽어 보기   원어민 선생님을 따라서 3번 말해 보세요.

음성듣기

패턴복습

It / looks / like / a spider.
It looks like / a spider.
It looks like a spider.

오늘의 문장을 연습한 만큼 스마일에 동그라미 해보세요.
연습이 끝났다면 왕 스마일에 표시!

Let's talk! 이번 주에 배운 문장으로 가족들과 함께 대화를 주고받아 보세요.

I am **hungry.**
저는 배가 고파요.

Do you **want some pizza?**
피자를 좀 줄까?

I'm not **ready yet.**
나는 아직 준비가 안 됐어.

Okay. I can **wait.**
괜찮아. 나는 기다릴 수 있어.(내가 기다려 줄게.)

• **want** 원하다 • **some** 약간의 • **pizza** 피자 • **yet** 아직 • **wait** 기다리다

다음 문장 패턴은 나중에 알아보기로 해요.

Do you ~?
너는 ~하니?

▶ 15th week

I can ~.
나는 ~할 수 있어.

▶ 20th week

Let's talk! 이번 주에 배운 문장으로 가족들과 함께 대화를 주고받아 보세요.

 I started reading this book.

나는 이 책을 읽기 시작했어.

 **I know that book.
The story was really good.**

나 그 책 알아. 이야기가 정말 좋았어.

 I started taking after-school classes.

나는 방과 후 수업을 듣기 시작했어.

 **There are many fun classes.
What's your favorite class?**

재미있는 수업들이 많이 있지. 네가 마음에 드는 수업은 뭐야?

• **know** 알다 • **story** 이야기 • **really** 정말 • **good** 좋은
• **many** 많은 • **fun** 재미있는 • **favorite** 마음에 드는, 매우 좋아하는

8
[eighth]

You are **kind.**

너는 친절해.

You are ( ).

너는 ~해[~어].

초등 필수 영단어   kind 친절한

소리 내어 읽어 보기   원어민 선생님을 따라서 3번 말해 보세요.

음성 듣기   패턴 복습

You / are / kind.
You are / kind.
You're kind.

*You are은 You're로 줄여 말할 수 있어요.

오늘의 문장을 연습한 만큼 스마일에 동그라미 해보세요.
연습이 끝났다면 왕 스마일에 표시!

Let's speak! 이번 주에 배운 문장을 복습해 보세요.

I started **feeling tired.** 나는 피곤해지기 시작했어.

I started **learning English.**
나는 영어를 배우기 시작했어.

I started **reading the book.**
나는 그 책을 읽기 시작했어.

I started **doing my homework.**
나는 내 숙제를 하기 시작했어.

I started **taking after-school classes.** 나는 방과 후 수업을 듣기 시작했어.

이번 주에 배운 패턴과 함께 다음과 같은 표현도 말해 보세요.

I started -ing ~.
나는 ~하는 것을(~하기) 시작했어.

- **exercising** 운동하는 것

- **worrying about the test** 시험에 대해 걱정하는 것

You are **tall.**

너는 키가 커.

. . . .

You are

너는 ~해(~어).

초등 필수 영단어   **tall** 키가 큰

소리 내어 읽어 보기   원어민 선생님을 따라서 3번 말해 보세요.

음성 듣기

패턴 복습

You / are / tall.
You are / tall.
You're tall.

*You are은 You're로 줄여 말할 수 있어요.

오늘의 문장을 연습한 만큼 스마일에 동그라미 해보세요.
연습이 끝났다면 왕 스마일에 표시!

I started **tak**ing after-school classes.

나는 방과 후 수업을 듣기 시작했어.

. . . .

I started -ing

나는 ~하는 것을(~하기) 시작했어.

초등 필수 영단어

take (강의 등을) 듣다
after-school class 방과 후 수업

소리 내어 읽어 보기

원어민 선생님을 따라서 3번 말해 보세요.

음성 듣기

패턴 복습

I / started / taking / after-school /
classes.
I started taking / after-school classes.
I started taking after-school classes.

오늘의 문장을 연습한 만큼 스마일에 동그라미 해보세요.
연습이 끝났다면 왕 스마일에 표시!

You are **late.**

너는 늦었어.

You are _____.

너는 ~해(~어).

초등 필수 영단어 · · · **late** 늦은

소리 내어 읽어 보기 · · · 원어민 선생님을 따라서 3번 말해 보세요.

음성 듣기

패턴 복습

You / are / late.
You are / late.
You're late.

*You are은 You're로 줄여 말할 수 있어요.

오늘의 문장을 연습한 만큼 스마일에 동그라미 해보세요.
연습이 끝났다면 왕 스마일에 표시!

I started doing my homework.

나는 내 숙제를 하기 시작했어.

I started -ing

나는 ~하는 것을(~하기) 시작했어.

초등 필수 영단어

do one's homework 숙제를 하다

소리 내어 읽어 보기

원어민 선생님을 따라서 3번 말해 보세요.

 음성 듣기

 패턴 복습

I / started / doing / my / homework.
I started / doing my homework.
I started doing my homework.

오늘의 문장을 연습한 만큼 스마일에 동그라미 해보세요.
연습이 끝났다면 왕 스마일에 표시!

Are you **okay**?

너는 괜찮니?

・・・・・・・・・・・・・・・・・・・・・・・・・・・・・・

Are you _____ ?

너는 ~하니(~해)?

초등 필수 영단어   **okay** 괜찮은, 좋은

소리 내어 읽어 보기   원어민 선생님을 따라서 3번 말해 보세요.

음성 듣기

패턴 복습

Are / you / okay?
Are you / okay?
Are you okay?

오늘의 문장을 연습한 만큼 스마일에 동그라미 해보세요.
연습이 끝났다면 왕 스마일에 표시!

I started reading the book.

나는 그 책을 읽기 시작했어.

I started -ing   .

나는 ~하는 것을(~하기) 시작했어.

초등 필수 영단어   **read** (책을) 읽다   **book** 책

소리 내어 읽어 보기   원어민 선생님을 따라서 3번 말해 보세요.

음성 듣기

패턴 복습

I / started / reading / the book.
I started / reading the book.
I started reading the book.

오늘의 문장을 연습한 만큼 스마일에 동그라미 해보세요.
연습이 끝났다면 왕 스마일에 표시!

Are you **busy?**

너는 바쁘니?

Are you _____?

너는 ~하니(~해)?

초등 필수 영단어

busy 바쁜

소리 내어 읽어 보기

원어민 선생님을 따라서 3번 말해 보세요.

음성 듣기

패턴 복습

Are / you / busy?
Are you / busy?
Are you busy?

오늘의 문장을 연습한 만큼 스마일에 동그라미 해보세요.
연습이 끝났다면 왕 스마일에 표시!

I started learning English.

나는 영어를 배우기 시작했어.

I started -ing　　　　　.

나는 ~하는 것을(~하기) 시작했어.

초등 필수 영단어　　**learn** 배우다　**English** 영어

소리 내어 읽어 보기　원어민 선생님을 따라서 3번 말해 보세요.

음성듣기

패턴복습

I / started / learning / English.
I started / learning English.
I started learning English.

오늘의 문장을 연습한 만큼 스마일에 동그라미 해보세요.
연습이 끝났다면 왕 스마일에 표시!

Let's speak! 이번 주에 배운 문장을 복습해 보세요.

You are **kind.** 너는 친절해.

You are **tall.** 너는 키가 커.

You are **late.** 너는 늦었어.

Are you **okay?** 너는 괜찮니?

Are you **busy?** 너는 바쁘니?

이번 주에 배운 패턴과 함께 다음과 같은 표현도 말해 보세요.

You are ~.	**Are you ~?**
나는 ~해(~어).	너는 ~하니(~해)?

• **tired** 피곤한   • **hurt** 다친

17

[seventeenth]

I started feeling tired.

나는 피곤해지기 시작했어.

I started -ing _____.

나는 ~하는 것을[~하기] 시작했어.

초등 필수 영단어

feel ~한 기분이 들다   **tired** 피곤한

소리 내어 읽어 보기

원어민 선생님을 따라서 3번 말해 보세요.

음성듣기

패턴 복습

I / started / feeling / tired.
I started / feeling tired.
I started feeling tired.

오늘의 문장을 연습한 만큼 스마일에 동그라미 해보세요.
연습이 끝났다면 왕 스마일에 표시!

Let's talk! 이번 주에 배운 문장으로 가족들과 함께 대화를 주고받아 보세요.

You are **late.**
너는 늦었구나.

I am **sorry.**
죄송해요.

Are you **busy?**
너 바쁘니?

Yes. I have **homework.**
네. 저는 숙제가 있어요.

• **sorry** 미안해하는 • **homework** 숙제

다음 문장 패턴은 나중에 알아보기로 해요.

> **I have ~.**
> 나는 ~이 있어.

▶ 8th week

Let's talk! 이번 주에 배운 문장으로 가족들과 함께 대화를 주고받아 보세요.

Where did you **go on vacation?**

너는 방학에 어디에 갔니?

I went to **Jeju.**
My grandparents live there.

제주에 갔어. 우리 할아버지, 할머니가 그곳에 사시거든.

What do you do after school?

너는 방과 후에 뭐 해?

I play soccer every day.
I like to **play sports.**

나는 매일 축구를 해. 나는 운동하는 걸 좋아하거든.

- **grandparent(s)** (외)할아버지[할머니] • **live** 살다, 거주하다 • **there** 거기에, 그곳에
- **after school** 방과 후에 • **every day** 매일

He is **smart.**

그는 똑똑해.

He is _____.

그는 ~해(~어).

초등 필수 영단어

smart 똑똑한

소리 내어 읽어 보기

원어민 선생님을 따라서 3번 말해 보세요.

음성 듣기   패턴 복습

He / is / smart.
He is / smart.
He's smart.

*He is는 He's로 줄여 말할 수 있어요.

오늘의 문장을 연습한 만큼 스마일에 동그라미 해보세요.
연습이 끝났다면 왕 스마일에 표시!

Let's speak! 이번 주에 배운 문장을 복습해 보세요.

Where did you **buy it?** 너는 어디에서 그것을 샀니?

Where did you **go on vacation?**
너는 방학에 어디에 갔니?

I like to **go for a walk.**
나는 산책하러 가는 것을 좋아해.

I like to **play sports.** 나는 운동하는 것을 좋아해.

I like to **watch TV shows.**
나는 TV 쇼 보는 것을 좋아해.

이번 주에 배운 패턴과 함께 다음과 같은 표현도 말해 보세요.

Where did you ~?
너는 어디에서 ~했어?

I like to ~.
나는 ~하는 것을 좋아해.

- **find it** 그것을 찾다
- **put my shoes** 내 신발을 두다

- **take pictures** 사진을 찍다
- **stay home** 집에 머물다

He is **brave.**

그는 용감해.

. . . .

He is _____.

그는 ~해(~어).

초등 필수 영단어 **brave** 용감한

소리 내어 읽어 보기 원어민 선생님을 따라서 3번 말해 보세요.

음성듣기

패턴 복습

He / is / brave.
He is / brave.
He's brave.
*He is는 He's로 줄여 말할 수 있어요.

오늘의 문장을 연습한 만큼 스마일에 동그라미 해보세요.
연습이 끝났다면 왕 스마일에 표시!

I like to watch TV shows.

나는 TV 쇼 보는 것을 좋아해.

I like to _____.

나는 ~하는 것을 좋아해.

초등 필수 영단어 **watch** 보다 **TV show** TV 쇼, TV 프로그램

소리 내어 읽어 보기 원어민 선생님을 따라서 3번 말해 보세요.

음성듣기 패턴복습

I like / to watch / TV shows.
I like / to watch TV shows.
I like to watch TV shows.

오늘의 문장을 연습한 만큼 스마일에 동그라미 해보세요.
연습이 끝났다면 왕 스마일에 표시!

He is funny.

그는 재미있어.

He is _____.

그는 ~해(~어).

초등 필수 영단어   funny 재미있는

소리 내어 읽어 보기   원어민 선생님을 따라서 3번 말해 보세요.

음성 듣기   패턴 복습

He / is / funny.
He is / funny.
He's funny.

*He is는 He's로 줄여 말할 수 있어요.

오늘의 문장을 연습한 만큼 스마일에 동그라미 해보세요.
연습이 끝났다면 왕 스마일에 표시!

I like to play sports.

나는 운동하는 것을 좋아해.

I like to   .

나는 ~하는 것을 좋아해.

초등 필수 영단어   **play sports** 운동하다

소리 내어 읽어 보기   원어민 선생님을 따라서 3번 말해 보세요.

음성 듣기

패턴 복습

I like / to play / sports.
I like / to play sports.
I like to play sports.

오늘의 문장을 연습한 만큼 스마일에 동그라미 해보세요.
연습이 끝났다면 왕 스마일에 표시!

She is **popular**.

그녀는 인기가 있어.

She is _____.

그녀는 ~해(~어).

초등 필수 영단어

popular 인기 있는

소리 내어 읽어 보기

원어민 선생님을 따라서 3번 말해 보세요.

음성 듣기   패턴 복습

She / is / popular.
She is / popular.
She's popular.
*She is는 She's로 줄여 말할 수 있어요.

오늘의 문장을 연습한 만큼 스마일에 동그라미 해보세요.
연습이 끝났다면 왕 스마일에 표시!

I like to go for a walk.

나는 산책하러 가는 것을 좋아해.

- -

I like to _____ .

나는 ~하는 것을 좋아해.

초등 필수 영단어   **go for a walk** 산책하러 가다

소리 내어 읽어 보기   원어민 선생님을 따라서 3번 말해 보세요.

음성 듣기

패턴 복습

I like / to go / for a walk.
I like / to go for a walk.
I like to go for a walk.

**오늘의 문장을 연습한 만큼 스마일에 동그라미 해보세요.
연습이 끝났다면 왕 스마일에 표시!**

January

19

[nineteenth]

She is **cute.**

그녀는 귀여워.

She is _____.

그녀는 ~해(~어).

초등 필수 영단어 **cute** 귀여운

소리 내어 읽어 보기 원어민 선생님을 따라서 3번 말해 보세요.

음성듣기

패턴 복습

She / is / cute.
She is / cute.
She's cute.
*She is는 She's로 줄여 말할 수 있어요.

오늘의 문장을 연습한 만큼 스마일에 동그라미 해보세요.
연습이 끝났다면 왕 스마일에 표시!

Where did you go on vacation?

너는 방학에 어디에 갔니?

Where did you _____ **?**

너는 어디에서 ~했어?

초등 필수 영단어 **go** 가다 **vacation** 방학, 휴가

소리 내어 읽어 보기 원어민 선생님을 따라서 3번 말해 보세요.

음성 듣기 패턴 복습

Where / did / you / go / on / vacation?
Where did you / go on vacation?
Where did you go on vacation?

오늘의 문장을 연습한 만큼 스마일에 동그라미 해보세요.
연습이 끝났다면 왕 스마일에 표시!

Let's speak! 이번 주에 배운 문장을 복습해 보세요.

He is **smart.** 그는 똑똑해.

He is **brave.** 그는 용감해.

He is **funny.** 그는 재미있어.

She is **popular.** 그녀는 인기가 있어.

She is **cute.** 그녀는 귀여워.

이번 주에 배운 패턴과 함께 다음과 같은 표현도 말해 보세요.

He is ~.
그는 ~해(~어).

She is ~.
그녀는 ~해(~어).

- **shy** 수줍어하는
- **polite** 예의 바른
- **wrong** 틀린, 잘못된
- **rude** 예의 없는

Where did you buy it?

너는 어디에서 그것을 샀니?

- -

Where did you _____?

너는 어디에서 ~했어?

초등 필수 영단어 buy 사다, 구입하다 it 그것

소리 내어 읽어 보기 원어민 선생님을 따라서 3번 말해 보세요.

음성 듣기

패턴 복습

Where / did / you / buy / it?
Where did you / buy it?
Where did you buy it?

오늘의 문장을 연습한 만큼 스마일에 동그라미 해보세요.
연습이 끝났다면 왕 스마일에 표시!

Let's talk! 이번 주에 배운 문장으로 가족들과 함께 대화를 주고받아 보세요.

Do you **know Noah?**

너는 노아를 아니?

Yes, I do. He is **popular.**

응, 알아. 그는 인기가 많아.

Do you **have a sister?**

너는 여동생이 있니?

Yes, I do. She is **cute.**

응, 있어. 그녀는 귀여워.

- **know** 알다 • **have** 있다, 가지고 있다 • **sister** 여동생[언니, 누나]

• •

다음 문장 패턴은 나중에 알아보기로 해요.

> ### Do you ~?
> 너는 ~하니(~해)?

▶ 15th week

Let's talk! 이번 주에 배운 문장으로 가족들과 함께 대화를 주고받아 보세요.

How do you **feel today?**

오늘 기분이 어때?

I feel great.

기분이 아주 좋아요.

What's **your favorite food?**

네가 가장 좋아하는 음식이 뭐니?

I love fried chicken.

저는 프라이드치킨을 정말 좋아해요.

- **great** 아주 좋은 · **love** 정말 좋아하다, 사랑하다 · **fried chicken** 프라이드치킨 (닭튀김)

She is in **the room.**

그녀는 방에 있어.

- -

She is in _____.

그녀는 ~에 있어.

초등 필수 영단어　　**room** 방

소리 내어 읽어 보기　　원어민 선생님을 따라서 3번 말해 보세요.

음성 듣기

패턴 복습

She / is / in / the room.
She is / in the room.
She is in the room.

오늘의 문장을 연습한 만큼 스마일에 동그라미 해보세요.
연습이 끝났다면 왕 스마일에 표시!

Let's speak! 이번 주에 배운 문장을 복습해 보세요.

How do you **feel today?** 오늘 기분이 어때?

How do you **get there?** 너는 어떻게 그곳에 가니?

How do you **make new friends?**
너는 어떻게 새로운 친구를 사귀니?

What's **your name?** 네 이름이 뭐야?

What's **your favorite food?**
네가 가장 좋아하는 음식이 뭐야?

이번 주에 배운 패턴과 함께 다음과 같은 표현도 말해 보세요.

How do you ~?
너는 어떻게 ~하니?

What's ~?
~는 뭐야?

- **spend your free time**
  너의 자유 시간을 보내다

- **the answer** 답

- **your phone number** 너의 전화번호

She is in **the playground.**

그녀는 놀이터에 있어.

She is in [ ].

그녀는 ~에 있어.

초등 필수 영단어

playground 놀이터

소리 내어 읽어 보기

원어민 선생님을 따라서 3번 말해 보세요.

음성 듣기

패턴 복습

She / is / in / the playground.
She is / in the playground.
She is in the playground.

오늘의 문장을 연습한 만큼 스마일에 동그라미 해보세요.
연습이 끝났다면 왕 스마일에 표시!

7

[seventh]

What's your favorite food?

네가 가장 좋아하는 음식이 뭐야?

What's _____ **?**

~는 뭐야?

초등 필수 영단어

favorite 가장 좋아하는, 매우 좋아하는   **food** 음식

소리 내어 읽어 보기

원어민 선생님을 따라서 3번 말해 보세요.

음성 듣기

패턴 복습

What is / your / favorite / food?
What's / your favorite food?
What's your favorite food?
*What's는 What is를 줄인 말이에요.

오늘의 문장을 연습한 만큼 스마일에 동그라미 해보세요.
연습이 끝났다면 왕 스마일에 표시!

He is in the kitchen.

그는 주방에 있어.

He is in   .

그는 ~에 있어.

초등 필수 영단어

kitchen 주방

소리 내어 읽어 보기   원어민 선생님을 따라서 3번 말해 보세요.

음성 듣기

패턴 복습

He / is / in / the kitchen.
He is / in the kitchen.
He is in the kitchen.

오늘의 문장을 연습한 만큼 스마일에 동그라미 해보세요.
연습이 끝났다면 왕 스마일에 표시!

6

[sixth]

What's your name?

네 이름이 뭐야?

Mark

• •

What's [   ] ?

~는 뭐야?

초등 필수 영단어

your 너의   **name** 이름

소리 내어 읽어 보기

원어민 선생님을 따라서 3번 말해 보세요.

음성 듣기   패턴 복습

What is / your / name?
What's / your name?
What's your name?
*What's는 What is를 줄인 말이에요.

오늘의 문장을 연습한 만큼 스마일에 동그라미 해보세요.
연습이 끝났다면 왕 스마일에 표시!

He is in **the classroom.**

그는 교실에 있어.

. . . .

He is in [   ].

그는 ~에 있어.

초등 필수 영단어 **classroom** 교실

소리 내어 읽어 보기 원어민 선생님을 따라서 3번 말해 보세요.

음성 듣기 패턴 복습

He / is / in / the classroom.
He is / in the classroom.
He is in the classroom.

오늘의 문장을 연습한 만큼 스마일에 동그라미 해보세요.
연습이 끝났다면 왕 스마일에 표시!

5
[fifth]

How do you make new friends?

너는 어떻게 새로운 친구를 사귀니?

How do you [   ] **?**

너는 어떻게 ~하니?

초등 필수 영단어   **make friends** 친구를 사귀다   **new** 새로운

소리 내어 읽어 보기   원어민 선생님을 따라서 3번 말해 보세요.

음성 듣기

패턴 복습

How / do / you / make / new / friends?
How do you / make new friends?
How do you make new friends?

오늘의 문장을 연습한 만큼 스마일에 동그라미 해보세요.
연습이 끝났다면 왕 스마일에 표시!

He is in **the bathroom.**

그는 화장실에 있어.

He is in _____ .

그는 ~에 있어.

초등 필수 영단어
bathroom 화장실, 욕실

소리 내어 읽어 보기
원어민 선생님을 따라서 3번 말해 보세요.

음성 듣기

패턴 복습

He / is / in / the bathroom.
He is / in the bathroom.
He is in the bathroom.

오늘의 문장을 연습한 만큼 스마일에 동그라미 해보세요.
연습이 끝났다면 왕 스마일에 표시!

4
[fourth]

How do you get there?

너는 어떻게 그곳에 가니?

How do you _____?

너는 어떻게 ~하니?

초등 필수 영단어 **get** 가다, 도착하다 **there** 그곳에, 거기에

소리 내어 읽어 보기 원어민 선생님을 따라서 3번 말해 보세요.

음성 듣기 패턴 복습

How / do / you / get / there?
How do you / get there?
How do you get there?

오늘의 문장을 연습한 만큼 스마일에 동그라미 해보세요.
연습이 끝났다면 왕 스마일에 표시!

Let's speak! 이번 주에 배운 문장을 복습해 보세요.

She is in **the room.** 그녀는 방에 있어.

She is in **the playground.** 그녀는 놀이터에 있어.

He is in **the kitchen.** 그는 주방에 있어.

He is in **the classroom.** 그는 교실에 있어.

He is in **the bathroom.** 그는 화장실에 있어.

이번 주에 배운 패턴과 함께 다음과 같은 표현도 말해 보세요.

She is in ~.
그녀는 ~에 있어.

He is in ~.
그는 ~에 있어.

• **the living room** 거실   • **the teachers' room** 교무실

• **the nurses' office** 보건실

3
[third]

How do you feel today?

오늘 기분이 어때?

How do you _____ ?

너는 어떻게 ~하니?

초등 필수 영단어　　　**feel** 느끼다　**today** 오늘

소리 내어 읽어 보기　　원어민 선생님을 따라서 3번 말해 보세요.

음성 듣기

패턴 복습

How / do / you / feel / today?
How do you / feel today?
How do you feel today?

오늘의 문장을 연습한 만큼 스마일에 동그라미 해보세요.
연습이 끝났다면 왕 스마일에 표시!

Let's talk! 이번 주에 배운 문장으로 가족들과 함께 대화를 주고받아 보세요.

Where is Dad?

아빠는 어디에 계세요?

He is in the kitchen.

그는 부엌에 있어.

Where is Jenny?

제니는 어디에 있니?

She is in the classroom.

그녀는 교실에 있어.

• **where** 어디에 • **dad** 아빠

다음 문장 패턴은 나중에 알아보기로 해요.

Where is ~?
~는 어디에 있니?

▶ 46th week

Let's talk! 이번 주에 배운 문장으로 가족들과 함께 대화를 주고받아 보세요.

I don't want to go alone.
나는 혼자 가고 싶지 않아.

We can go together.
Let's meet at five.
우리는 같이 갈 수 있어. 다섯 시에 만나자.

I don't want to study today.
저는 오늘 공부하고 싶지 않아요.

Okay. Let's take a break.
알겠어. 잠시 쉬자.

This is **good**.

이것은 좋아.

This is [   ].

이것은 ~해.

초등 필수 영단어   **good** 좋은

소리 내어 읽어 보기   원어민 선생님을 따라서 3번 말해 보세요.

음성듣기   패턴 복습

This / is / good.
This is / good.
This is good.

오늘의 문장을 연습한 만큼 스마일에 동그라미 해보세요.
연습이 끝났다면 왕 스마일에 표시!

Let's speak! 이번 주에 배운 문장을 복습해 보세요.

Let's **meet at five.** 다섯 시에 만나자.

Let's **take a break.** 잠시 쉬자.

Let's **have lunch together.** 같이 점심 먹자.

I don't want to **go alone.**
나는 혼자 가고 싶지 않아.

I don't want to **study today.**
나는 오늘 공부하고 싶지 않아.

이번 주에 배운 패턴과 함께 다음과 같은 표현도 말해 보세요.

Let's ~.
~하자.

I don't want to ~.
나는 ~하기를 원하지 않아
(~하고 싶지 않아).

- **do it quickly** 그것을 빨리하다
- **go outside** 밖으로 나가다

- **give up** 포기하다
- **answer that** 그것에 대답하다

This is **wrong.**

이것은 틀렸어.

This is ⬤⬤⬤⬤⬤⬤.

이것은 ~해.

초등 필수 영단어

wrong 틀린, 잘못된

소리 내어 읽어 보기

원어민 선생님을 따라서 3번 말해 보세요.

음성듣기

패턴 복습

This / is / wrong.
This is / wrong.
This is wrong.

오늘의 문장을 연습한 만큼 스마일에 동그라미 해보세요.
연습이 끝났다면 왕 스마일에 표시!

12
December

This is **easy.**

이것은 쉬워.

. . . .

This is _____ **.**

이것은 ~해.

초등 필수 영단어   **easy** 쉬운

소리 내어 읽어 보기   원어민 선생님을 따라서 3번 말해 보세요.

음성 듣기

패턴 복습

This / is / easy.
This is / easy.
This is easy.

오늘의 문장을 연습한 만큼 스마일에 동그라미 해보세요.
연습이 끝났다면 왕 스마일에 표시!

I don't want to study today.

나는 오늘 공부하고 싶지 않아.

- -

I don't want to _____.

나는 ~하기를 원하지 않아(~하고 싶지 않아).

초등 필수 영단어   **study** 공부하다   **today** 오늘

소리 내어 읽어 보기   원어민 선생님을 따라서 3번 말해 보세요.

음성 듣기

패턴 복습

I / don't / want / to study / today.
I don't want / to study today.
I don't want to study today.

오늘의 문장을 연습한 만큼 스마일에 동그라미 해보세요.
연습이 끝났다면 왕 스마일에 표시!

2
February

I don't want to go alone.

나는 혼자 가고 싶지 않아.

I don't want to _____.

나는 ~하기를 원하지 않아(~하고 싶지 않아).

초등 필수 영단어 go 가다   alone 혼자

소리 내어 읽어 보기 원어민 선생님을 따라서 3번 말해 보세요.

음성 듣기

패턴 복습

I / don't / want / to go / alone.
I don't want / to go alone.
I don't want to go alone.

오늘의 문장을 연습한 만큼 스마일에 동그라미 해보세요.
연습이 끝났다면 왕 스마일에 표시!

1

[first]

This is **difficult.**

이것은 어려워.

· ·

This is ⬤.

이것은 ~해.

초등 필수 영단어   **difficult** 어려운

소리 내어 읽어 보기   원어민 선생님을 따라서 3번 말해 보세요.

 음성 듣기   패턴 복습

This / is / difficult.
This is / difficult.
This is difficult.

오늘의 문장을 연습한 만큼 스마일에 동그라미 해보세요.
연습이 끝났다면 왕 스마일에 표시!

Let's **have lunch together.**

같이 점심 먹자.

Let's ⬤⬤⬤⬤⬤⬤⬤⬤ **.**

~하자.

초등 필수 영단어

have lunch 점심을 먹다 **together** 같이, 함께

소리 내어 읽어 보기

원어민 선생님을 따라서 3번 말해 보세요.

음성 듣기   패턴 복습

Let's / have / lunch / together.
Let's have lunch / together.
Let's have lunch together.

오늘의 문장을 연습한 만큼 스마일에 동그라미 해보세요.
연습이 끝났다면 왕 스마일에 표시!

2

[second]

This is **delicious.**

이것은 맛있어.

This is _____ **.**

이것은 ~해.

초등 필수 영단어

delicious 맛있는

소리 내어 읽어 보기

원어민 선생님을 따라서 3번 말해 보세요.

음성 듣기   패턴 복습

This / is / delicious.
This is / delicious.
This is delicious.

오늘의 문장을 연습한 만큼 스마일에 동그라미 해보세요.
연습이 끝났다면 왕 스마일에 표시!

27

[twenty-seventh]

Let's **take a break.**

잠시 쉬자.

· ·

Let's _____.

~하자.

초등 필수 영단어   **take a break** 잠시 쉬다

소리 내어 읽어 보기   원어민 선생님을 따라서 3번 말해 보세요.

음성듣기

패턴 복습

Let's / take / a break.
Let's take / a break.
Let's take a break.

오늘의 문장을 연습한 만큼 스마일에 동그라미 해보세요.
연습이 끝났다면 왕 스마일에 표시!

Let's speak! 이번 주에 배운 문장을 복습해 보세요.

This is **good.** 이것은 좋아.

This is **wrong.** 이것은 틀렸어.

This is **easy.** 이것은 쉬워.

This is **difficult.** 이것은 어려워.

This is **delicious.** 이것은 맛있어.

이번 주에 배운 패턴과 함께 다음과 같은 표현도 말해 보세요.

This is ~.
이것은 ~해.

- **great** 대단한
- **true** 사실인
- **strange** 이상한

Let's meet at five.
다섯 시에 만나자.

Let's _____.

~하자.

초등 필수 영단어   **meet** 만나다

소리 내어 읽어 보기   원어민 선생님을 따라서 3번 말해 보세요.

음성 듣기

패턴 복습

Let's / meet / at five.
Let's meet / at five.
Let's meet at five.

오늘의 문장을 연습한 만큼 스마일에 동그라미 해보세요.
연습이 끝났다면 왕 스마일에 표시!

Let's talk! 이번 주에 배운 문장으로 가족들과 함께 대화를 주고받아 보세요.

Can you **do this**?
너 이거 할 수 있어?

Yes. This is **easy.**
응. 이것은 쉬워.

How is the cake?
그 케이크는 어떠니?

This is **delicious.**
이것은 맛있어요.

• **do** 하다 • **cake** 케이크

다음 문장 패턴은 나중에 알아보기로 해요.

Can you ~?
너 ~할 수 있어?

▶ 23rd week

Let's talk! 이번 주에 배운 문장으로 가족들과 함께 대화를 주고받아 보세요.

Look at your room!
What a mess!
네 방 좀 봐! 정말 엉망이잖아!

I will clean it now.
지금 청소할게요.

What do you want to eat?
너는 뭐 먹고 싶니?

I want to eat pizza.
저는 피자를 먹고 싶어요.

• **look at** ~을 보다 • **room** 방 • **clean** 치우다, 청소하다 • **now** 지금

5
[fifth]

That's **great.**

그것은 대단해. (잘됐다.)

That's _____ .

저것(그것)은 ~야.

초등 필수 영단어

great 대단한, 굉장한

소리 내어 읽어 보기

원어민 선생님을 따라서 3번 말해 보세요.

음성듣기

패턴 복습

That / is / great.
That's / great.
That's great.
*That's는 That is를 줄인 말이에요.

오늘의 문장을 연습한 만큼 스마일에 동그라미 해보세요.
연습이 끝났다면 왕 스마일에 표시!

Let's speak! 이번 주에 배운 문장을 복습해 보세요.

What a **mess!** 정말 엉망진창이다!

What an **amazing story!** 정말 굉장한 이야기다!

I want to **eat pizza.** 나는 피자를 먹고 싶어.

I want to **get new shoes.** 나는 새 신발을 갖고 싶어.

I want to **be famous.** 나는 유명해지고 싶어.

이번 주에 배운 패턴과 함께 다음과 같은 표현도 말해 보세요.

What a[an] ~!	**I want to ~.**
정말 ~이다(하다)!	나는 ~하기를 원해(~하고 싶어).

- **a cool gift** 멋진 선물
- **a surprise** 놀라운 일

- **know about it** 그것에 대해 알다
- **go home** 집에 가다

That's **so funny.**

그거 정말 재밌다.

That's _____ .

저것(그것)은 ~야.

초등 필수 영단어 **so** 정말   **funny** 재미있는

소리 내어 읽어 보기   원어민 선생님을 따라서 3번 말해 보세요.

음성듣기   패턴 복습

That / is / so / funny.
That's / so funny.
That's so funny.

*That's는 That is를 줄인 말이에요.

오늘의 문장을 연습한 만큼 스마일에 동그라미 해보세요.
연습이 끝났다면 왕 스마일에 표시!

I want to **be famous.**

나는 유명해지고 싶어.

- -

I want to _____.

나는 ~하기를 원해(~하고 싶어).

초등 필수 영단어

famous 유명한

소리 내어 읽어 보기

원어민 선생님을 따라서 3번 말해 보세요.

음성듣기

패턴복습

I / want / to be / famous.
I want to be / famous.
I want to be famous.

오늘의 문장을 연습한 만큼 스마일에 동그라미 해보세요.
연습이 끝났다면 왕 스마일에 표시!

7
[seventh]

That's true.

그것은 사실이야.

True False
☑ ☐

A banana is yellow.

That's _____.

저것(그것)은 ~야.

초등 필수 영단어 **true** 사실인

소리 내어 읽어 보기 원어민 선생님을 따라서 3번 말해 보세요.

음성듣기

패턴복습

That / is / true.
That's / true.
That's true.
*That's는 That is를 줄인 말이에요.

오늘의 문장을 연습한 만큼 스마일에 동그라미 해보세요.
연습이 끝났다면 왕 스마일에 표시!

I want to **get new shoes.**

나는 새 신발을 갖고 싶어.

I want to _____ .

나는 ~하기를 원해[~하고 싶어].

초등 필수 영단어

get 얻다, 구하다; 받다   **new** 새로운   **shoes** 신발

소리 내어 읽어 보기

원어민 선생님을 따라서 3번 말해 보세요.

음성 듣기   패턴 복습

I / want / to get / new / shoes.
I want to get / new shoes.
I want to get new shoes.

오늘의 문장을 연습한 만큼 스마일에 동그라미 해보세요.
연습이 끝났다면 왕 스마일에 표시!

That's **too bad.**

그거 너무 안됐다.

· ·

That's ⬭⬭⬭⬭⬭⬭⬭⬭ **.**

저것(그것)은 ~야.

초등 필수 영단어　　**too bad** 너무 안된

소리 내어 읽어 보기　　원어민 선생님을 따라서 3번 말해 보세요.

음성 듣기

패턴 복습

That / is / too bad.
That's / too bad.
That's too bad.
*That's는 That is를 줄인 말이에요.

오늘의 문장을 연습한 만큼 스마일에 동그라미 해보세요.
연습이 끝났다면 왕 스마일에 표시!

I want to eat pizza.

나는 피자를 먹고 싶어.

. . . .

I want to   .

나는 ~하기를 원해(~하고 싶어).

초등 필수 영단어   **eat** 먹다   **pizza** 피자

소리 내어 읽어 보기   원어민 선생님을 따라서 3번 말해 보세요.

음성 듣기   패턴 복습

I / want / to eat / pizza.
I want to eat / pizza.
I want to eat pizza.

오늘의 문장을 연습한 만큼 스마일에 동그라미 해보세요.
연습이 끝났다면 왕 스마일에 표시!

That's **a good idea!**

그거 좋은 생각이다!

. . . .

That's _____.

저것(그것)은 ~야.

초등 필수 영단어   **a good idea** 좋은 생각

소리 내어 읽어 보기   원어민 선생님을 따라서 3번 말해 보세요.

음성 듣기

패턴 복습

That / is / a good idea!
That's / a good idea!
That's a good idea!

*That's는 That is를 줄인 말이에요.

오늘의 문장을 연습한 만큼 스마일에 동그라미 해보세요.
연습이 끝났다면 왕 스마일에 표시!

What an **amazing story**!

정말 굉장한 이야기다!

What a[an] ⬚⬚⬚⬚⬚⬚⬚⬚ !

정말 ~이다[하다].

초등 필수 영단어　　**amazing** 굉장한　**story** 이야기

소리 내어 읽어 보기

음성듣기　패턴복습

원어민 선생님을 따라서 3번 말해 보세요.

What / an / amazing / story!
What an / amazing story!
What an amazing story!

오늘의 문장을 연습한 만큼 스마일에 동그라미 해보세요.
연습이 끝났다면 왕 스마일에 표시!

Let's speak! 이번 주에 배운 문장을 복습해 보세요.

That's **great.** 대단해. (잘됐다.)

That's **so funny.** 그거 정말 재밌다.

That's **true.** 그것은 사실이야.

That's **too bad.** 그거 너무 안됐다.

That's **a good idea!** 그거 좋은 생각이다!

이번 주에 배운 패턴과 함께 다음과 같은 표현도 말해 보세요.

That's ~.
저것(그것)은 ~야.

- **right** 옳은, 맞는

- **a lie** 거짓말

What a mess!

정말 엉망진창이다!

● ●

What a[an]   !

정말 ~이다[하다].

초등 필수 영단어   **mess** 엉망진창

소리 내어 읽어 보기   원어민 선생님을 따라서 2번 말해 보세요.

음성 듣기   패턴 복습

What / a mess!
What a mess!

오늘의 문장을 연습한 만큼 스마일에 동그라미 해보세요.
연습이 끝났다면 왕 스마일에 표시!

Let's talk! 이번 주에 배운 문장으로 가족들과 함께 대화를 주고받아 보세요.

She has **a cold.**
그녀는 감기에 걸렸어.

That's **too bad.**
그거 참 안됐구나.

Let's **play soccer.**
축구하자.

That's **a good idea!**
그거 좋은 생각이다!

- **have[has] a cold** 감기에 걸리다   - **play** 하다; 놀다   - **soccer** 축구
- **idea** 아이디어, 생각

다음 문장 패턴은 나중에 알아보기로 해요.

He[She] has ~.
그[그녀]는 ~이 있어.

▶ 16th week

Let's ~.
~하자.

▶ 48th week

Let's talk! 이번 주에 배운 문장으로 가족들과 함께 대화를 주고받아 보세요.

Don't **cut in line.**
새치기하지 마.

I'm **sorry.**
미안해.

Where is **the bus stop?**
버스 정류장은 어디에 있나요?

It is **next to the post office.**
그건 우체국 옆에 있어.

• **next to** ~ 옆에 • **post office** 우체국

There is **a bee.**

벌이 있어.

. . . .

There is   .

~이 있어.

*여기서 There은 뜻이 없으므로 따로 해석하지 않아요.

초등 필수 영단어 **bee** 벌

소리 내어 읽어 보기 원어민 선생님을 따라서 3번 말해 보세요.

음성 듣기

패턴 복습

There / is / a bee.
There is / a bee.
There is a bee.

오늘의 문장을 연습한 만큼 스마일에 동그라미 해보세요.
연습이 끝났다면 왕 스마일에 표시!

Let's speak! 이번 주에 배운 문장을 복습해 보세요.

Don't **cut in line.** 새치기하지 마.

Don't **bother me.** 나를 귀찮게 하지 마.

Don't **tell anybody.** 아무에게도 말하지 마.

Where is **the bathroom?**
화장실은 어디에 있나요?

Where is **the bus stop?**
버스 정류장은 어디에 있어요?

이번 주에 배운 패턴과 함께 다음과 같은 표현도 말해 보세요.

Don't ~. ~하지 마.	**Where is ~?** ~은 어디에 있어?

- **worry** 걱정하다
- **be scared** 무서워하다

- **your house** 너의 집
- **my T-shirt** 내 티셔츠

There is **a cat.**

고양이가 있어.

There is .

~이 있어.

초등 필수 영단어   **cat** 고양이

소리 내어 읽어 보기   원어민 선생님을 따라서 3번 말해 보세요.

음성 듣기   패턴 복습

There / is / a cat.
There is / a cat.
There is a cat.

오늘의 문장을 연습한 만큼 스마일에 동그라미 해보세요.
연습이 끝났다면 왕 스마일에 표시!

Where is **the bus stop?**

버스 정류장은 어디에 있어요?

- -

Where is [   ] ?

~은 어디에 있어?

초등 필수 영단어   **bus stop** 버스 정류장

소리 내어 읽어 보기   원어민 선생님을 따라서 3번 말해 보세요.

음성 듣기

패턴 복습

Where / is / the bus stop?
Where is / the bus stop?
Where is the bus stop?

오늘의 문장을 연습한 만큼 스마일에 동그라미 해보세요.
연습이 끝났다면 왕 스마일에 표시!

There is **a park.**

공원이 있어.

There is .

~이 있어.

초등 필수 영단어   **park** 공원

소리 내어 읽어 보기   원어민 선생님을 따라서 3번 말해 보세요.

음성 듣기   패턴 복습

There / is / a park.
There is / a park.
There is a park.

오늘의 문장을 연습한 만큼 스마일에 동그라미 해보세요.
연습이 끝났다면 왕 스마일에 표시!

15

[fifteenth]

Where is the bathroom?

화장실은 어디에 있나요?

● ●

Where is [   ]?

~은 어디에 있어?

초등 필수 영단어

bathroom 화장실, 욕실

소리 내어 읽어 보기

음성듣기   패턴 복습

원어민 선생님을 따라서 3번 말해 보세요.

Where / is / the bathroom?
Where is / the bathroom?
Where is the bathroom?

오늘의 문장을 연습한 만큼 스마일에 동그라미 해보세요.
연습이 끝났다면 왕 스마일에 표시!

There is **a bench.**

벤치가 있어.

. . . .

There is   .

~이 있어.

초등 필수 영단어   **bench** 벤치, 긴 의자

소리 내어 읽어 보기   원어민 선생님을 따라서 3번 말해 보세요.

음성 듣기   패턴 복습

There / is / a bench.
There is / a bench.
There is a bench.

오늘의 문장을 연습한 만큼 스마일에 동그라미 해보세요.
연습이 끝났다면 왕 스마일에 표시!

Don't tell anybody.

누군가에게 말하지 마. (아무에게도 말하지 마)

Don't _____ .

~하지 마.

초등 필수 영단어   **tell** 말하다   **anybody** 아무도; 누군가

소리 내어 읽어 보기   원어민 선생님을 따라서 3번 말해 보세요.

음성듣기

패턴 복습

Do / not / tell / anybody.
Don't / tell anybody.
Don't tell anybody.
*Don't는 Do not을 줄인 말이에요.

오늘의 문장을 연습한 만큼 스마일에 동그라미 해보세요.
연습이 끝났다면 왕 스마일에 표시!

There is **a problem.**

문제가 있어.

There is

~이 있어.

초등 필수 영단어

problem 문제

소리 내어 읽어 보기

원어민 선생님을 따라서 3번 말해 보세요.

음성듣기 　　패턴 복습

There / is / a problem.
There is / a problem.
There is a problem.

오늘의 문장을 연습한 만큼 스마일에 동그라미 해보세요.
연습이 끝났다면 왕 스마일에 표시!

13

[thirteenth]

Don't **bother me.**

나를 귀찮게 하지 마.

Don't _____ **.**

~하지 마.

초등 필수 영단어

bother 귀찮게 하다

소리 내어 읽어 보기

원어민 선생님을 따라서 3번 말해 보세요.

음성듣기

패턴 복습

Do / not / bother / me.
Don't / bother me.
Don't bother me.
*Don't는 Do not을 줄인 말이에요.

오늘의 문장을 연습한 만큼 스마일에 동그라미 해보세요.
연습이 끝났다면 왕 스마일에 표시!

Let's speak! 이번 주에 배운 문장을 복습해 보세요.

There is **a bee.** 벌이 있어.

There is **a cat.** 고양이가 있어.

There is **a park.** 공원이 있어.

There is **a bench.** 벤치가 있어.

There is **a problem.** 문제가 있어.

이번 주에 배운 패턴과 함께 다음과 같은 표현도 말해 보세요.

There is ~.
~이 있어.

- **a bug** 벌레, 곤충
- **a restaurant** 식당, 레스토랑
- **a restroom** (공공장소의) 화장실

Don't **cut in line.**

새치기하지 마.

Don't _____ .

~하지 마.

초등 필수 영단어

cut in line 새치기하다

소리 내어 읽어 보기

원어민 선생님을 따라서 3번 말해 보세요.

음성 듣기   패턴 복습

Do / not / cut / in / line.
Don't / cut in line.
Don't cut in line.

*Don't는 Do not을 줄인 말이에요.

오늘의 문장을 연습한 만큼 스마일에 동그라미 해보세요.
연습이 끝났다면 왕 스마일에 표시!

Let's talk! 이번 주에 배운 문장으로 가족들과 함께 대화를 주고받아 보세요.

There is **a bee!**
벌이 있어요!

Oh, don't **move.**
아, 움직이지 말렴.

There is **a problem.**
문제가 있어.

What is it?
그게(문제가) 뭔데?

· **move** 움직이다 · **what** 무엇 · **it** 그것

다음 문장 패턴은 나중에 알아보기로 해요.

Don't ~.
~하지 마.

▸ 46th week

Let's talk! 이번 주에 배운 문장으로 가족들과 함께 대화를 주고받아 보세요.

I used to be shy.
나는 수줍음이 많았단다.

I can't believe it!
You are so talkative now!
믿을 수가 없어요! 아빠는 이제 정말 말하기를 좋아하시잖아요!

Do you have a pet?
너는 반려동물을 키우니?

Not now, but I used to have a hamster.
지금은 아니지만, 전에 햄스터 한 마리를 키웠어.

• **believe** 믿다　• **so** 정말　• **talkative** 말하기를 좋아하는, 수다스러운　• **pet** 반려동물

I have **a brother.**

나는 남동생[오빠, 형] 있어.

I have _____.

나는 ~이 있어.

초등 필수 영단어

brother 오빠, 형, 남동생

소리 내어 읽어 보기

원어민 선생님을 따라서 3번 말해 보세요.

음성듣기

패턴복습

I / have / a brother.
I have / a brother.
I have a brother.

오늘의 문장을 연습한 만큼 스마일에 동그라미 해보세요.
연습이 끝났다면 왕 스마일에 표시!

10
[tenth]

Let's speak! 이번 주에 배운 문장을 복습해 보세요.

I used to **be shy.** 나는 수줍음이 많았었어.

I used to **be scared of ghosts.**
나는 유령을 무서워했었어.

I used to **go swimming.** 나는 수영을 가곤 했어.

I used to **have a hamster.** 나는 햄스터를 키웠었어.

I used to **live near here.** 나는 이 근처에 살았었어.

이번 주에 배운 패턴과 함께 다음과 같은 표현도 말해 보세요.

I used to ~.
나는 ~했었어(하곤 했어).

- **play with dolls** 인형을 가지고 놀다

- **have a lot of toys** 장난감들이 많이 있다

I have **a sister.**

나는 누나[언니, 여동생]가 있어.

I have _____.

나는 ~이 있어.

초등 필수 영단어   **sister** 언니, 누나, 여동생

소리 내어 읽어 보기   원어민 선생님을 따라서 3번 말해 보세요.

음성 듣기   패턴 복습

I / have / a sister.
I have / a sister.
I have a sister.

오늘의 문장을 연습한 만큼 스마일에 동그라미 해보세요.
연습이 끝났다면 왕 스마일에 표시!

I used to live near here.

나는 이 근처에 살았었어.

● ●

I used to _____ .

나는 ~했었어(하곤 했어).

초등 필수 영단어 **live** 살다 **near** ~ 근처에, ~ 가까이에 **here** 여기

소리 내어 읽어 보기 원어민 선생님을 따라서 3번 말해 보세요.

음성 듣기

패턴 복습

I / used to / live / near / here.
I used to / live near here.
I used to live near here.

오늘의 문장을 연습한 만큼 스마일에 동그라미 해보세요.
연습이 끝났다면 왕 스마일에 표시!

I have **a question.**

저는 질문이 있어요.

I have _____.

나는 ~이 있어.

초등 필수 영단어

question 질문

소리 내어 읽어 보기

원어민 선생님을 따라서 3번 말해 보세요.

음성듣기　패턴 복습

I / have / a question.
I have / a question.
I have a question.

오늘의 문장을 연습한 만큼 스마일에 동그라미 해보세요.
연습이 끝났다면 왕 스마일에 표시!

I used to **have a hamster.**

나는 햄스터를 키웠었어.

- -

I used to   .

나는 ~했었어(하곤 했어).

초등 필수 영단어   **have** (동물을) 키우다, 기르다   **hamster** 햄스터

소리 내어 읽어 보기   원어민 선생님을 따라서 3번 말해 보세요.

음성 듣기

패턴 복습

I / used to / have / a hamster.
I used to / have a hamster.
I used to have a hamster.

오늘의 문장을 연습한 만큼 스마일에 동그라미 해보세요.
연습이 끝났다면 왕 스마일에 표시!

I have **a plan.**

나는 계획이 있어.

I have ___.

나는 ~이 있어.

초등 필수 영단어   **plan** 계획(앞으로 하려는 일)

소리 내어 읽어 보기   원어민 선생님을 따라서 3번 말해 보세요.

음성 듣기   패턴 복습

I / have / a plan.
I have / a plan.
I have a plan.

오늘의 문장을 연습한 만큼 스마일에 동그라미 해보세요.
연습이 끝났다면 왕 스마일에 표시!

7

[seventh]

I used to go swimming.

나는 수영을 가곤 했어.

I used to _____.

나는 ~했었어(하곤 했어).

초등 필수 영단어   **go swimming** 수영을 가다

소리 내어 읽어 보기   원어민 선생님을 따라서 3번 말해 보세요.

음성듣기

패턴복습

I / used to / go / swimming.
I used to / go swimming.
I used to go swimming.

오늘의 문장을 연습한 만큼 스마일에 동그라미 해보세요.
연습이 끝났다면 왕 스마일에 표시!

I have **a test.**

나는 시험이 있어.

- -

I have _____.

나는 ~이 있어.

초등 필수 영단어　　**test** 시험

소리 내어 읽어 보기　　원어민 선생님을 따라서 3번 말해 보세요.

음성 듣기

패턴 복습

I / have / a test.
I have / a test.
I have a test.

오늘의 문장을 연습한 만큼 스마일에 동그라미 해보세요.
연습이 끝났다면 왕 스마일에 표시!

I used to be scared of ghosts.

나는 유령을 무서워했었어.

I used to .

나는 ~했었어(하곤 했어).

초등 필수 영단어

be scared of ~을 무서워하다   **ghost** 유령, 귀신

소리 내어 읽어 보기

원어민 선생님을 따라서 3번 말해 보세요.

음성 듣기   패턴 복습

I / used to / be / scared / of / ghosts.
I used to / be scared of / ghosts.
I used to be scared of ghosts.

오늘의 문장을 연습한 만큼 스마일에 동그라미 해보세요.
연습이 끝났다면 왕 스마일에 표시!

Let's speak! 이번 주에 배운 문장을 복습해 보세요.

I have **a brother.** 나는 오빠[형, 남동생]가 있어.

I have **a sister.** 나는 언니[누나, 여동생]가 있어.

I have **a question.** 저는 질문이 있어요.

I have **a plan.** 나는 계획이 있어.

I have **a test.** 나는 시험이 있어.

이번 주에 배운 패턴과 함께 다음과 같은 표현도 말해 보세요.

I have ~.
나는 ~이 있어.

- **a bike** 자전거
- **a dream** 꿈
- **a pet** 반려동물
- **homework** 숙제

I used to be shy.
나는 수줍음이 많았었어.

・ ・

I used to _____.

나는 ~했었어[하곤 했어].

*예전에 그랬다는 의미로, 지금은 그렇지 않다는 의미까지 나타내요.

초등 필수 영단어   shy 수줍음[부끄럼]을 많이 타는, 수줍어하는

소리 내어 읽어 보기   원어민 선생님을 따라서 3번 말해 보세요.

음성듣기

패턴복습

I / used to / be / shy.
I used to / be shy.
I used to be shy.

오늘의 문장을 연습한 만큼 스마일에 동그라미 해보세요.
연습이 끝났다면 왕 스마일에 표시!

Let's talk! 이번 주에 배운 문장으로 가족들과 함께 대화를 주고받아 보세요.

Do you have any brothers or sisters?
너는 형제나 자매가 있니?

Yes, I have a sister.
응, 나는 여동생이 있어.

I have a question.
저는 질문이 있어요.

Okay. What is it?
그래. 그게(질문이) 뭐니?

• **brothers or sisters** 형제나 자매

다음 문장 패턴은 나중에 알아보기로 해요.

Do you ~?
너는 ~하니(~해)?

▶ 15th week

Let's talk! 이번 주에 배운 문장으로 가족들과 함께 대화를 주고받아 보세요.

Where is **Leo**?
레오는 어디에 있어?

He's not here yet.
He will come later.
그는 아직 여기에 없어. 그는 나중에 올 거야.

Sam will join our team.
샘이 우리 팀에 함께 할 거예요.

That's great!
잘됐다!

- **here** 여기에   - **yet** 아직

다음 문장 패턴은 나중에 알아보기로 해요.

Where is ~?
~는 어디에 있니?

▶ 46th week

It is **boring.**

그것은 지루해.

It is _____.

그것은 ~야(해).

초등 필수 영단어   **boring** 지루한

소리 내어 읽어 보기   원어민 선생님을 따라서 3번 말해 보세요.

음성듣기   패턴 복습

It / is / boring.
It is / boring.
It is boring.

오늘의 문장을 연습한 만큼 스마일에 동그라미 해보세요.
연습이 끝났다면 왕 스마일에 표시!

Let's speak! 이번 주에 배운 문장을 복습해 보세요.

He will **come later.** 그는 나중에 올 거야.

He will **go to bed early.** 그는 일찍 잠자리에 들 거야.

He will **join our team.** 그는 우리 팀에 함께 할 거야.

She will **be very upset.** 그녀는 몹시 속상할 거야.

She will **understand you.**
그녀는 너를 이해할 거야.

이번 주에 배운 패턴과 함께 다음과 같은 표현도 말해 보세요.

He will ~.
그는 ~할 거야.

She will ~.
그녀는 ~할 거야.

- **be all right** 괜찮다
- **bring it back** 그것을 돌려주다
- **tell me everything** 나에게 모든 것을 말하다

It is **interesting.**

그것은 재미있어.

It is _____.

그것은 ~야(해).

초등 필수 영단어

interesting 재미있는, 흥미로운

소리 내어 읽어 보기

원어민 선생님을 따라서 3번 말해 보세요.

음성 듣기   패턴 복습

It / is / interesting.
It is / interestng.
It is interesting.

오늘의 문장을 연습한 만큼 스마일에 동그라미 해보세요.
연습이 끝났다면 왕 스마일에 표시!

She will understand you.

그녀는 너를 이해할 거야.

- -

She will   .

그녀는 ~할 거야.

초등 필수 영단어

understand 이해하다

소리 내어 읽어 보기

원어민 선생님을 따라서 3번 말해 보세요.

음성 듣기

패턴 복습

She / will / understand / you.
She will / understand you.
She will understand you.

오늘의 문장을 연습한 만큼 스마일에 동그라미 해보세요.
연습이 끝났다면 왕 스마일에 표시!

It is **amazing.**

그것은 놀라워.

It is _____.

그것은 ~야(해).

초등 필수 영단어

amazing 놀라운

소리 내어 읽어 보기

원어민 선생님을 따라서 3번 말해 보세요.

음성 듣기

패턴 복습

It / is / amazing.
It is / amazing.
It is amazing.

오늘의 문장을 연습한 만큼 스마일에 동그라미 해보세요.
연습이 끝났다면 왕 스마일에 표시!

She will be very upset.

그녀는 몹시 속상할 거야.

She will _____.

그녀는 ~할 거야.

초등 필수 영단어　　**very** 몹시, 매우　**upset** 속상한

소리 내어 읽어 보기　원어민 선생님을 따라서 3번 말해 보세요.

음성 듣기　패턴 복습

She / will / be / very / upset.
She will / be very upset.
She will be very upset.

오늘의 문장을 연습한 만큼 스마일에 동그라미 해보세요.
연습이 끝났다면 왕 스마일에 표시!

3
March

11
November

It is **mine.**

그것은 내 거야.

Mina

It is _____.

그것은 ~야(해).

초등 필수 영단어

mine 나의 것

소리 내어 읽어 보기

원어민 선생님을 따라서 3번 말해 보세요.

음성 듣기

패턴 복습

It / is / mine.
It is / mine.
It is mine.

오늘의 문장을 연습한 만큼 스마일에 동그라미 해보세요.
연습이 끝났다면 왕 스마일에 표시!

He will join our team.

그는 우리 팀에 함께 할 거야.

He will _____.

그는 ~할 거야.

초등 필수 영단어 join 함께 하다   team 팀

소리 내어 읽어 보기 원어민 선생님을 따라서 3번 말해 보세요.

음성듣기

패턴 복습

He / will / join / our / team.
He will / join our team.
He will join our team.

오늘의 문장을 연습한 만큼 스마일에 동그라미 해보세요.
연습이 끝났다면 왕 스마일에 표시!

It is a secret.

그것은 비밀이야.

It is [   ].

그것은 ~야(해).

초등 필수 영단어

secret 비밀

소리 내어 읽어 보기

원어민 선생님을 따라서 3번 말해 보세요.

음성 듣기

패턴 복습

It / is / a secret.
It is / a secret.
It is a secret.

오늘의 문장을 연습한 만큼 스마일에 동그라미 해보세요.
연습이 끝났다면 왕 스마일에 표시!

He will **go to bed early.**

그는 일찍 잠자리에 들 거야.

He will [ ] **.**

그는 ~할 거야.

초등 필수 영단어　　**go to bed** 잠자리에 들다　**early** 일찍

소리 내어 읽어 보기　　원어민 선생님을 따라서 3번 말해 보세요.

음성 듣기

패턴 복습

He / will / go / to / bed / early.
He will / go to bed / early.
He will go to bed early.

오늘의 문장을 연습한 만큼 스마일에 동그라미 해보세요.
연습이 끝났다면 왕 스마일에 표시!

Let's speak! 이번 주에 배운 문장을 복습해 보세요.

It is **boring.** 그것은 지루해.

It is **interesting.** 그것은 재미있어.

It is **amazing.** 그것은 놀라워.

It is **mine.** 그것은 내 거야.

It is **a secret.** 그것은 비밀이야.

이번 주에 배운 패턴과 함께 다음과 같은 표현도 말해 보세요.

> **It is ~.**
> 그것은 ~야(해).

- **fun** 재미있는
- **cute** 귀여운
- **exciting** 신나는
- **heavy** 무거운

He will come later.

그는 나중에 올 거야.

- -

He will 　　　　　　　　　**.**

그는 ~할 거야.

초등 필수 영단어　　　come 오다　later 나중에

소리 내어 읽어 보기　　원어민 선생님을 따라서 3번 말해 보세요.

음성듣기

패턴 복습

He / will / come / later.
He will / come later.
He will come later.

오늘의 문장을 연습한 만큼 스마일에 동그라미 해보세요.
연습이 끝났다면 왕 스마일에 표시!

Let's talk! 이번 주에 배운 문장으로 가족들과 함께 대화를 주고받아 보세요.

How is the movie?

그 영화는 어때?

It is boring.

그것은 지루해.

It is a secret.

그것은 비밀이야.

Okay. I will keep your secret.

알겠어. 나는 네 비밀을 지킬게.

• **movie** 영화 • **keep** 지키다

다음 문장 패턴은 나중에 알아보기로 해요.

> **I will ~.**
> 나는 ~할 거야(할게).

▶ 24th week

Let's talk! 이번 주에 배운 문장으로 가족들과 함께 대화를 주고받아 보세요.

What do you **need**?
너는 무엇이 필요하니?

I need **some crayons.**
저는 크레파스가 좀 필요해요.

What do you **do for fun**?
너는 재미로 무엇을 하니?

I like to **draw pictures.**
나는 그림 그리는 걸 좋아해.

• **crayon** 크레파스 • **draw** (그림을) 그리다 • **picture** 그림, 사진

다음 문장 패턴은 나중에 알아보기로 해요.

I like to ~.
나는 ~하는 것을 좋아해.

▶ 50th week

March

5

[fifth]

10th week

I like sports.

나는 운동을 좋아해.

I like _____.

나는 ~을 좋아해.

초등 필수 영단어

sport 운동, 스포츠

소리 내어 읽어 보기   원어민 선생님을 따라서 3번 말해 보세요.

음성 듣기

패턴 복습

I / like / sports.
I like / sports.
I like sports.

오늘의 문장을 연습한 만큼 스마일에 동그라미 해보세요.
연습이 끝났다면 왕 스마일에 표시!

Let's speak! 이번 주에 배운 문장을 복습해 보세요.

What do you **need?** 너는 무엇이 필요하니?

What do you **think?** 너는 어떻게 생각해?

What do you **do for fun?** 너는 재미로 무엇을 하니?

What do you **want for Christmas?**
너는 크리스마스에 무엇을 원하니?(크리스마스에 뭐 받고 싶니?)

What do you **like about her?**
너는 그녀의 무엇을 좋아하니?

이번 주에 배운 패턴과 함께 다음과 같은 표현도 말해 보세요.

What do you ~?
너는 무엇을 ~하니(~해)?

- **eat for breakfast** 아침으로 먹다
- **have in your hand** 손에 가지고 있다

6

[sixth]

I like animals.

나는 동물을 좋아해.

I like _____.

나는 ~을 좋아해.

초등 필수 영단어

animal 동물

소리 내어 읽어 보기

원어민 선생님을 따라서 3번 말해 보세요.

음성듣기

패턴 복습

I / like / animals.
I like / animals.
I like animals.

오늘의 문장을 연습한 만큼 스마일에 동그라미 해보세요.
연습이 끝났다면 왕 스마일에 표시!

What do you **like about her**?

너는 그녀의 무엇을 좋아하니?

What do you　　　　　　　　?

너는 무엇이 ~하니(~해)?

초등 필수 영단어

like 좋아하다　**about** ~에 대해

소리 내어 읽어 보기　원어민 선생님을 따라서 3번 말해 보세요.

음성 듣기

패턴 복습

What / do / you / like / about / her?
What do you / like about her?
What do you like about her?

오늘의 문장을 연습한 만큼 스마일에 동그라미 해보세요.
연습이 끝났다면 왕 스마일에 표시!

I like **noodles.**

나는 국수를 좋아해.

- -

I like .

나는 ~을 좋아해.

초등 필수 영단어 **noodle** 국수

소리 내어 읽어 보기 원어민 선생님을 따라서 3번 말해 보세요.

음성 듣기 패턴 복습

I / like / noodles.
I like / noodles.
I like noodles.

오늘의 문장을 연습한 만큼 스마일에 동그라미 해보세요.
연습이 끝났다면 왕 스마일에 표시!

What do you **want for Christmas?**

너는 크리스마스에 무엇을 원하니?
(크리스마스에 뭐 받고 싶니?)

What do you ( ) **?**

너는 무엇이 ~하니(~해)?

초등 필수 영단어

Christmas 크리스마스

소리 내어 읽어 보기

원어민 선생님을 따라서 3번 말해 보세요.

음성듣기   패턴복습

What / do / you / want / for / Christmas?
What do you / want for Christmas?
What do you want for Christmas?

오늘의 문장을 연습한 만큼 스마일에 동그라미 해보세요.
연습이 끝났다면 왕 스마일에 표시!

I like summer.

나는 여름을 좋아해.

. . . .

I like _____.

나는 ~을 좋아해.

초등 필수 영단어　　　summer 여름

소리 내어 읽어 보기　　원어민 선생님을 따라서 3번 말해 보세요.

음성듣기

패턴 복습

I / like / summer.
I like / summer.
I like summer.

오늘의 문장을 연습한 만큼 스마일에 동그라미 해보세요.
연습이 끝났다면 왕 스마일에 표시!

What do you **do for fun?**

너는 재미로 무엇을 하니?

What do you _____ **?**

너는 무엇이 ~하니[~해]?

초등 필수 영단어

do for fun 재미로 ~을 하다

소리 내어 읽어 보기

원어민 선생님을 따라서 3번 말해 보세요.

음성듣기

패턴 복습

What / do / you / do / for fun?
What do you / do for fun?
What do you do for fun?

오늘의 문장을 연습한 만큼 스마일에 동그라미 해보세요.
연습이 끝났다면 왕 스마일에 표시!

I like spicy food.

나는 매운 음식을 좋아해.

I like   .

나는 ~을 좋아해.

초등 필수 영단어   spicy 매운   food 음식

소리 내어 읽어 보기   원어민 선생님을 따라서 3번 말해 보세요.

음성 듣기   패턴 복습

I / like / spicy food.
I like / spicy food.
I like spicy food.

오늘의 문장을 연습한 만큼 스마일에 동그라미 해보세요.
연습이 끝났다면 왕 스마일에 표시!

What do you **think?**

너는 어떻게 생각해?

. . . .

What do you _____?

너는 무엇이 ~하니[~해]?

초등 필수 영단어   think 생각하다

소리 내어 읽어 보기   원어민 선생님을 따라서 3번 말해 보세요.

음성 듣기

패턴 복습

What / do / you / think?
What do you / think?
What do you think?

오늘의 문장을 연습한 만큼 스마일에 동그라미 해보세요.
연습이 끝났다면 왕 스마일에 표시!

Let's speak! 이번 주에 배운 문장을 복습해 보세요.

I like sports. 나는 운동을 좋아해.

I like animals. 나는 동물을 좋아해.

I like noodles. 나는 국수를 좋아해.

I like summer. 나는 여름을 좋아해.

I like spicy food. 나는 매운 음식을 좋아해.

이번 주에 배운 패턴과 함께 다음과 같은 표현도 말해 보세요.

I like ~.
나는 ~을 좋아해.

- **spring** 봄
- **winter** 겨울
- **fall** 가을
- **blue** 파란색

What do you **need**?

너는 무엇이 필요하니?

What do you _____?

너는 무엇이 ~하니(~해)?

need 필요하다

원어민 선생님을 따라서 3번 말해 보세요.

음성 듣기　패턴 복습

What / do / you / need?
What do you / need?
What do you need?

오늘의 문장을 연습한 만큼 스마일에 동그라미 해보세요.
연습이 끝났다면 왕 스마일에 표시!

Let's talk! 이번 주에 배운 문장으로 가족들과 함께 대화를 주고받아 보세요.

I like sports.

나는 운동을 좋아해.

Me too.

나도 그래.

I like noodles. How about you?

나는 국수를 좋아해. 너는 어때?

I don't like noodles.

나는 국수를 좋아하지 않아.

• **too** ~도   • **How about~?** ~는 어때?

다음 문장 패턴은 나중에 알아보기로 해요.

I don't ~.
나는 ~하지 않아.

▶ 13th week

Let's talk! 이번 주에 배운 문장으로 가족들과 함께 대화를 주고받아 보세요.

Mom, there's no milk in the fridge.

엄마, 냉장고에 우유가 없어요.

Can you check again?

다시 확인해볼래?

Oh no, I'm late.

이런, 저 늦었어요.

There's no need to worry. I will take you by car.

내가 차로 데려다줄게.

• **check** 확인하다 • **again** 다시 • **late** 늦은, 지각한 • **take** 데리고 가다, 데려다 주다
• **by car** 자동차로

It's rainy.
비가 와요.

It's _____.

[날씨/요일/시간]~해(~야).

*여기서 it은 '그것'이라 해석하지 않아요.

초등 필수 영단어

rainy 비가 오는

소리 내어 읽어 보기

원어민 선생님을 따라서 3번 말해 보세요.

음성 듣기

패턴 복습

It / is / rainy.
It's / rainy.
It's rainy.

*It is는 it's로 줄여 말할 수 있어요.

오늘의 문장을 연습한 만큼 스마일에 동그라미 해보세요.
연습이 끝났다면 왕 스마일에 표시!

Let's speak! 이번 주에 배운 문장을 복습해 보세요.

There's no **one at home.** 집에 아무도 없어.

There's no **time to lose.** 낭비할 시간이 없어.

There's no **milk in the fridge.**
냉장고에 우유가 없어.

There's no **water in the bottle.**
병에 물이 없어.

There's no **need to worry.**
걱정할 필요가 없어.

이번 주에 배운 패턴과 함께 다음과 같은 표현도 말해 보세요.

There's no ~.
~이 없어.

• **juice** 주스   • **answer** 답

It's **Tuesday.**

화요일이야.

It's _____.

(날씨/요일/시간)~해(~야).

초등 필수 영단어　　　**Tuesday** 화요일

소리 내어 읽어 보기　　　원어민 선생님을 따라서 3번 말해 보세요.

음성 듣기　　패턴 복습

It / is / Tuesday.
It's / Tuesday.
It's Tuesday.

*It is는 it's로 줄여 말할 수 있어요.

오늘의 문장을 연습한 만큼 스마일에 동그라미 해보세요.
연습이 끝났다면 왕 스마일에 표시!

19

[nineteenth]

There's no **need to worry.**

걱정할 필요가 없어.

- -

There's no _____.

~이 없어.

초등 필수 영단어   **need to worry** 걱정할 필요

소리 내어 읽어 보기   원어민 선생님을 따라서 3번 말해 보세요.

음성 듣기   패턴 복습

There / is / no / need / to worry.
There's no need / to worry.
There's no need to worry.

*There's는 There is를 줄인 말이에요.

오늘의 문장을 연습한 만큼 스마일에 동그라미 해보세요.
연습이 끝났다면 왕 스마일에 표시!

It's **lunchtime.**

점심시간이야.

It's _____ .

[날씨/요일/시간]~해[~야].

초등 필수 영단어

lunchtime 점심시간

소리 내어 읽어 보기

음성듣기 패턴복습

원어민 선생님을 따라서 3번 말해 보세요.

It / is / lunchtime.
It's / lunchtime.
It's lunchtime.

*It is는 it's로 줄여 말할 수 있어요.

오늘의 문장을 연습한 만큼 스마일에 동그라미 해보세요.
연습이 끝났다면 왕 스마일에 표시!

There's no **water in the bottle.**

병에 물이 없어.

There's no [   ].

~이 없어.

초등 필수 영단어   **water** 물   **bottle** 병

소리 내어 읽어 보기   원어민 선생님을 따라서 3번 말해 보세요.

음성 듣기   패턴 복습

There / is / no / water / in / the bottle.
There's no water / in the bottle.
There's no water in the bottle.

*There's는 There is를 줄인 말이에요.

오늘의 문장을 연습한 만큼 스마일에 동그라미 해보세요.
연습이 끝났다면 왕 스마일에 표시!

It's **four o'clock.**

네 시야.

It's _____ .

(날씨/요일/시간)~해(~야).

초등 필수 영단어 o'clock ~ 시 (1에서 12까지의 숫자 뒤에 써서 정확한 시간을 나타내요.)

소리 내어 읽어 보기 원어민 선생님을 따라서 3번 말해 보세요.

음성 듣기

패턴 복습

It / is / four o'clock.
It's / four o'clock.
It's four o'clock.

*It is는 it's로 줄여 말할 수 있어요.

오늘의 문장을 연습한 만큼 스마일에 동그라미 해보세요.
연습이 끝났다면 왕 스마일에 표시!

17

[seventeenth]

There's no **milk in the fridge.**

냉장고에 우유가 없어.

There's no 　　　　　.

~이 없어.

초등 필수 영단어　　milk 우유　　fridge 냉장고

소리 내어 읽어 보기　　원어민 선생님을 따라서 3번 말해 보세요.

음성 듣기

패턴 복습

There / is / no / milk / in / the fridge.
There's no milk / in the fridge.
There's no milk in the fridge.

*There's는 There is를 줄인 말이에요.

오늘의 문장을 연습한 만큼 스마일에 동그라미 해보세요.
연습이 끝났다면 왕 스마일에 표시!

It's **my birthday.**

내 생일이야.

It's _____ .

(날씨/요일/시간)~해(~야).

초등 필수 영단어   **my** 나의   **birthday** 생일

소리 내어 읽어 보기   원어민 선생님을 따라서 3번 말해 보세요.

음성듣기   패턴복습

It / is / my / birthday.
It's / my birthday.
It's my birthday.

*It is는 it's로 줄여 말할 수 있어요.

오늘의 문장을 연습한 만큼 스마일에 동그라미 해보세요.
연습이 끝났다면 왕 스마일에 표시!

october

16

[sixteenth]

There's no **time to lose.**

낭비할 시간이 없어.

There's no

~이 없어.

초등 필수 영단어   **time** 시간   **lose** (시간을) 허비하다; 잃다

소리 내어 읽어 보기   원어민 선생님을 따라서 3번 말해 보세요.

음성듣기

패턴 복습

There / is / no / time / to lose.
There's no time / to lose.
There's no time to lose.

*There's는 There is를 줄인 말이에요.

오늘의 문장을 연습한 만큼 스마일에 동그라미 해보세요.
연습이 끝났다면 왕 스마일에 표시!

Let's speak! 이번 주에 배운 문장을 복습해 보세요.

It's **rainy.** 비가 와요.

It's **Tuesday.** 화요일이야.

It's **lunchtime.** 점심시간이야.

It's **four o'clock.** 네 시야.

It's **my birthday.** 내 생일이야.

이번 주에 배운 패턴과 함께 다음과 같은 표현도 말해 보세요.

It's ~.
(날씨/요일/시간)~해(~야).

- **sunny** 화창한, 맑은
- **cold** 추운
- **hot** 더운
- **windy** 바람이 많이 부는

There's no one at home.

집에 아무도 없어.

There's no _____.

~이 없어.

초등 필수 영단어   **one** 하나, 한 사람

소리 내어 읽어 보기   원어민 선생님을 따라서 3번 말해 보세요.

 음성 듣기   패턴 복습

There / is / no / one / at / home.
There's no one / at home.
There's no one at home.

*There's는 There is를 줄인 말이에요.

오늘의 문장을 연습한 만큼 스마일에 동그라미 해보세요.
연습이 끝났다면 왕 스마일에 표시!

Let's talk! 이번 주에 배운 문장으로 가족들과 함께 대화를 주고받아 보세요.

It's my birthday today. Can you come?

오늘 내 생일이야. 너 올 수 있니?

Sure!

그럼!

What time is it now?

지금 몇 시야?

It's twelve o'clock . It's lunchtime.

열두 시야. 점심시간이네.

• **today** 오늘 • **come** 오다 • **sure** 그럼, 그래 (= yes) • **time** 시간, 시 • **now** 지금

다음 문장 패턴은 나중에 알아보기로 해요.

Can you ~?
너 ~할 수 있어?

▶ 23rd week

Let's talk! 이번 주에 배운 문장으로 가족들과 함께 대화를 주고받아 보세요.

I'm getting cold.
저는 점점 추워지고 있어요.

Let's go and wait inside.
안에 들어가서 기다리자.

Do you want some more food?
음식 좀 더 줄까?

No, thanks. I'm getting full.
아뇨, 괜찮아요. 저는 점점 배가 불러요.

• **wait** 기다리다 • **inside** 안에(서) • **food** 음식

다음 문장 패턴은 나중에 알아보기로 해요.

Let's ~.
~하자.

▶ 48th week

I want some ice cream.

저는 아이스크림을 좀 원해요.

I want _____.

나는 ~을 원해.

초등 필수 영단어 some 약간의, 조금   ice cream 아이스크림

소리 내어 읽어 보기 원어민 선생님을 따라서 3번 말해 보세요.

음성 듣기 패턴 복습

I / want / some / ice cream.
I want / some ice cream.
I want some ice cream.

오늘의 문장을 연습한 만큼 스마일에 동그라미 해보세요.
연습이 끝났다면 왕 스마일에 표시!

Let's speak! 이번 주에 배운 문장을 복습해 보세요.

I'm getting **cold.** 나는 점점 추워지고 있어.

I'm getting **full.** 나는 점점 배불러지고 있어.

I'm getting **taller.** 나는 점점 키가 더 커지고 있어.

I'm getting **nervous.** 나는 점점 긴장되고 있어.

I'm getting **better.** 나는 점점 몸이 나아지고 있어.

이번 주에 배운 패턴과 함께 다음과 같은 표현도 말해 보세요.

I'm getting ~.
나는 점점 ~해지고 있어.

• **sleepy** 졸린　　　• **comfortable** 편안한

I want some snacks.

저는 간식을 좀 원해요.

I want _____.

나는 ~을 원해.

초등 필수 영단어 some 약간의, 조금 snack 간식

소리 내어 읽어 보기 원어민 선생님을 따라서 3번 말해 보세요.

음성 듣기

패턴 복습

I / want / some / snacks.
I want / some snacks.
I want some snacks.

오늘의 문장을 연습한 만큼 스마일에 동그라미 해보세요.
연습이 끝났다면 왕 스마일에 표시!

I'm getting **better.**

나는 점점 몸이 나아지고 있어.

I'm getting _____.

나는 점점 ~해지고 있어.

초등 필수 영단어 **better** 몸이 나아진, 기분이 나아진

소리 내어 읽어 보기 원어민 선생님을 따라서 3번 말해 보세요.

음성 듣기

패턴 복습

I / am / getting / better.
I'm getting / better.
I'm getting better.

오늘의 문장을 연습한 만큼 스마일에 동그라미 해보세요.
연습이 끝났다면 왕 스마일에 표시!

I want a new bike.

저는 새 자전거를 원해요.

I want _____.

나는 ~을 원해.

초등 필수 영단어

new 새로운, 새   **bike** 자전거

소리 내어 읽어 보기   원어민 선생님을 따라서 3번 말해 보세요.

음성 듣기   패턴 복습

I / want / a / new / bike.
I want / a new bike.
I want a new bike.

오늘의 문장을 연습한 만큼 스마일에 동그라미 해보세요.
연습이 끝났다면 왕 스마일에 표시!

I'm getting nervous.

나는 점점 긴장되고 있어.

- -

I'm getting   .

나는 점점 ~해지고 있어.

초등 필수 영단어

nervous 긴장한

소리 내어 읽어 보기

원어민 선생님을 따라서 3번 말해 보세요.

음성듣기

패턴 복습

I / am / getting / nervous.
I'm getting / nervous.
I'm getting nervous.

오늘의 문장을 연습한 만큼 스마일에 동그라미 해보세요.
연습이 끝났다면 왕 스마일에 표시!

I need your help.

나는 네 도움이 필요해.

● ●

I need ⬭⬭⬭⬭⬭⬭⬭ .

나는 ~이 필요해.

초등 필수 영단어   **your** 너의, 당신의   **help** 도움; 돕다

소리 내어 읽어 보기   원어민 선생님을 따라서 3번 말해 보세요.

음성 듣기

패턴 복습

I / need / your / help.
I need / your help.
I need your help.

오늘의 문장을 연습한 만큼 스마일에 동그라미 해보세요.
연습이 끝났다면 왕 스마일에 표시!

I'm getting **taller**.

나는 점점 키가 더 커지고 있어.

I'm getting _____.

나는 점점 ~해지고 있어.

초등 필수 영단어 **taller** 키가 더 큰

소리 내어 읽어 보기 원어민 선생님을 따라서 3번 말해 보세요.

음성 듣기

패턴 복습

I / am / getting / taller.
I'm getting / taller.
I'm getting taller.

오늘의 문장을 연습한 만큼 스마일에 동그라미 해보세요.
연습이 끝났다면 왕 스마일에 표시!

I need **more time.**

저는 시간이 더 필요해요.

I need _____.

나는 ~이 필요해.

more 더 많은 **time** 시간

원어민 선생님을 따라서 3번 말해 보세요.

음성 듣기

패턴 복습

I / need / more / time.
I need / more time.
I need more time.

오늘의 문장을 연습한 만큼 스마일에 동그라미 해보세요.
연습이 끝났다면 왕 스마일에 표시!

I'm getting **full.**

나는 점점 배불러지고 있어.

I'm getting _____.

나는 점점 ~해지고 있어.

초등 필수 영단어

full 배부른

소리 내어 읽어 보기

원어민 선생님을 따라서 3번 말해 보세요.

음성 듣기

패턴 복습

I / am / getting / full.
I'm getting / full.
I'm getting full.

오늘의 문장을 연습한 만큼 스마일에 동그라미 해보세요.
연습이 끝났다면 왕 스마일에 표시!

Let's speak! 이번 주에 배운 문장을 복습해 보세요.

I want **some ice cream.**

저는 아이스크림을 좀 원해요.

I want **some snacks.** 저는 간식을 좀 원해요.

I want **a new bike.** 저는 새 자전거를 원해요.

I need **your help.** 나는 네 도움이 필요해.

I need **more time.** 저는 시간이 더 필요해요.

이번 주에 배운 패턴과 함께 다음과 같은 표현도 말해 보세요.

I want ~.
나는 ~을 원해.

I need ~.
나는 ~이 필요해.

- **some water** 약간의 물
- **some sleep** 약간의 잠
- **a break** 휴식

I'm getting cold.

나는 점점 추워지고 있어.

I'm getting　　　　　　　　.

나는 점점 ~해지고 있어.

초등 필수 영단어　　　**cold** 추운

소리 내어 읽어 보기　　원어민 선생님을 따라서 3번 말해 보세요.

음성듣기　　패턴복습

I / am / getting / cold.
I'm getting / cold.
I'm getting cold.

오늘의 문장을 연습한 만큼 스마일에 동그라미 해보세요.
연습이 끝났다면 왕 스마일에 표시!

Let's talk! 이번 주에 배운 문장으로 가족들과 함께 대화를 주고받아 보세요.

Are you **hungry?**

너 배고프니?

Yes. **I want some snacks.**

네. 저는 간식을 좀 원해요.

Kevin, **I need your help.**

케빈, 나는 네 도움이 필요해.

OK, Mom. **I'm coming!**

알겠어요, 엄마. 곧 갈게요!

*come은 '오다'라는 뜻으로 쓰이지만, I'm coming.은 상대방 쪽으로
(다가)오고 있다는 뜻으로 '곧 갈게.'라고 말할 때 쓰여요.

Let's talk! 이번 주에 배운 문장으로 가족들과 함께 대화를 주고받아 보세요.

You look **so happy today.**

너 오늘 정말 행복해 보여.

It's **my birthday!**

(오늘이) 내 생일이거든!

You look **worried. What's wrong?**

너 걱정스러워 보이는구나. 무슨 일 있니?

I have **a math test today.**

오늘 수학 시험이 있어요.

- **so** 정말 · **math** 수학 · **test** 시험

다음 문장 패턴은 나중에 알아보기로 해요.

What's ~?
~는 뭐야?

▶ 49th week

I don't **know.**

나는 모르겠어.

I don't _____ .

나는 ~하지 않아.

초등 필수 영단어   **know** 알다

소리 내어 읽어 보기   원어민 선생님을 따라서 3번 말해 보세요.

음성 듣기

패턴 복습

I / don't / know.
I don't / know.
I don't know.

오늘의 문장을 연습한 만큼 스마일에 동그라미 해보세요.
연습이 끝났다면 왕 스마일에 표시!

Let's speak! 이번 주에 배운 문장을 복습해 보세요.

You look **happy.** 너는 행복해 보여.

You look **tired.** 너는 피곤해 보여.

You look **bored.** 너는 지루해 보여.

You look **excited.** 너는 신나 보여.

You look **worried.** 너는 걱정스러워 보여.

이번 주에 배운 패턴과 함께 다음과 같은 표현도 말해 보세요.

You look ~.
너는 ~해 보여.

- **angry** 화난
- **great** 멋진
- **busy** 바쁜
- **perfect** 완벽한

I don't care.

나는 신경 쓰지 않아.

I don't _____.

나는 ~하지 않아.

초등 필수 영단어   **care** 신경 쓰다

소리 내어 읽어 보기   원어민 선생님을 따라서 3번 말해 보세요.

음성 듣기   패턴 복습

I / don't / care.
I don't / care.
I don't care.

오늘의 문장을 연습한 만큼 스마일에 동그라미 해보세요.
연습이 끝났다면 왕 스마일에 표시!

You look **worried.**

너는 걱정스러워 보여.

You look _____ .

너는 ~해 보여.

초등 필수 영단어

worried 걱정하는, 걱정스러워 하는

소리 내어 읽어 보기

원어민 선생님을 따라서 3번 말해 보세요.

음성듣기　패턴 복습

You / look / worried.
You look / worried.
You look worried.

오늘의 문장을 연습한 만큼 스마일에 동그라미 해보세요.
연습이 끝났다면 왕 스마일에 표시!

I don't understand.

나는 이해가 안 돼.

I don't [   ].

나는 ~하지 않아.

초등 필수 영단어　　understand 이해하다

소리 내어 읽어 보기　　원어민 선생님을 따라서 3번 말해 보세요.

음성듣기　　패턴복습

I / don't / understand.
I don't / understand.
I don't understand.

오늘의 문장을 연습한 만큼 스마일에 동그라미 해보세요.
연습이 끝났다면 왕 스마일에 표시!

4

[fourth]

You look **excited.**

너는 신나 보여.

- -

You look   .

너는 ~해 보여.

초등 필수 영단어   **excited** 신난

소리 내어 읽어 보기   원어민 선생님을 따라서 3번 말해 보세요.

 음성듣기   패턴 복습

You / look / excited.
You look / excited.
You look excited.

오늘의 문장을 연습한 만큼 스마일에 동그라미 해보세요.
연습이 끝났다면 왕 스마일에 표시!

29

[twenty-ninth]

I don't like carrots.

나는 당근을 좋아하지 않아.

I don't _____.

나는 ~하지 않아.

초등 필수 영단어   like 좋아하다   carrot 당근

소리 내어 읽어 보기   원어민 선생님을 따라서 3번 말해 보세요.

음성 듣기   패턴 복습

I / don't / like / carrots.
I don't / like carrots.
I don't like carrots.

오늘의 문장을 연습한 만큼 스마일에 동그라미 해보세요.
연습이 끝났다면 왕 스마일에 표시!

You look **bored.**

너는 지루해 보여.

You look _____.

너는 ~해 보여.

초등 필수 영단어   **bored** 지루한

소리 내어 읽어 보기   원어민 선생님을 따라서 3번 말해 보세요.

음성 듣기

패턴 복습

You / look / bored.
You look / bored.
You look bored.

오늘의 문장을 연습한 만큼 스마일에 동그라미 해보세요.
연습이 끝났다면 왕 스마일에 표시!

I don't **believe it.**

나는 그것을 믿지 않아. (못 믿겠어.)

I don't _____.

나는 ~하지 않아.

초등 필수 영단어　**believe** 믿다　**it** 그것

소리 내어 읽어 보기

음성 듣기

패턴 복습

원어민 선생님을 따라서 3번 말해 보세요.

I / don't / believe / it.
I don't / believe it.
I don't believe it.

*I don't believe it.은 '이럴수가, 설마'라는 뜻으로 놀람이나 짜증을 나타낼 수 있어요.

오늘의 문장을 연습한 만큼 스마일에 동그라미 해보세요.
연습이 끝났다면 왕 스마일에 표시!

You look **tired.**

너는 피곤해 보여.

You look .

너는 ~해 보여.

초등 필수 영단어

tired 피곤한

소리 내어 읽어 보기

원어민 선생님을 따라서 3번 말해 보세요.

음성 듣기

패턴 복습

You / look / tired.
You look / tired.
You look tired.

오늘의 문장을 연습한 만큼 스마일에 동그라미 해보세요.
연습이 끝났다면 왕 스마일에 표시!

Let's speak! 이번 주에 배운 문장을 복습해 보세요.

I don't **know.** 나는 모르겠어.

I don't **care.** 나는 신경 쓰지 않아.

I don't **understand.** 나는 이해가 안 돼.

I don't **like carrots.** 나는 당근을 좋아하지 않아.

I don't **believe it.** 나는 그것을 믿지 않아. (못 믿겠어.)

이번 주에 배운 패턴과 함께 다음과 같은 표현도 말해 보세요.

I don't ~.
나는 ~하지 않아.

- **remember** 기억하다
- **agree** 동의하다(의견이 같다)
- **have time** 시간이 있다
- **like vegetables** 채소를 좋아하다

You look **happy.**

너는 행복해 보여.

You look _____.

너는 ~해 보여.

초등 필수 영단어   **happy** 행복한

소리 내어 읽어 보기   원어민 선생님을 따라서 3번 말해 보세요.

음성 듣기

패턴 복습

You / look / happy.
You look / happy.
You look happy.

오늘의 문장을 연습한 만큼 스마일에 동그라미 해보세요.
연습이 끝났다면 왕 스마일에 표시!

4
April

10
October

1

[first]

Let's talk! 이번 주에 배운 문장으로 가족들과 함께 대화를 주고받아 보세요.

Try this carrot cake.
이 당근 케이크 좀 먹어 보렴.

Oh, I don't like carrots.
아, 저는 당근을 좋아하지 않아요.

I will get up at six in the morning.
나는 아침 6시에 일어날 거야.

I don't believe it!
나는 그것을 믿지 않아!(설마!)

• **try** 먹어 보다   • **get up** 일어나다   • **in the morning** 아침에

다음 문장 패턴은 나중에 알아보기로 해요.

> **I will ~.**
> 나는 ~할 거야(할게).

▶ 24th week

Let's talk! 이번 주에 배운 문장으로 가족들과 함께 대화를 주고받아 보세요.

What are you doing?

너는 뭐 하고 있니?

I'm playing with Lego.

저는 레고 가지고 놀고 있어요.

Dad, what are you making?

아빠, 뭐 만들고 계세요?

I'm making some sandwiches.

샌드위치를 좀 만들고 있단다.

• **play with** ~을 가지고 놀다, ~와 함께 놀다 • **sandwich** 샌드위치

I hate bugs.

나는 벌레를 싫어해.

I hate [   ].

나는 ~을 싫어해.

*I hate ~.는 몹시 싫어하는 무언가를 말할 때 사용해요.

초등 필수 영단어   bug 벌레

소리 내어 읽어 보기   원어민 선생님을 따라서 3번 말해 보세요.

음성 듣기

패턴 복습

I / hate / bugs.
I hate / bugs.
I hate bugs.

오늘의 문장을 연습한 만큼 스마일에 동그라미 해보세요.
연습이 끝났다면 왕 스마일에 표시!

Let's speak! 이번 주에 배운 문장을 복습해 보세요.

What are you **doing?** 너는 무엇을 하고 있니?

What are you **reading?** 너는 무엇을 읽고 있니?

What are you **making?** 너는 무엇을 만들고 있니?

What are you **looking for?** 너는 무엇을 찾고 있니?

What are you **thinking about?**

너는 무슨 생각하고 있니?

이번 주에 배운 패턴과 함께 다음과 같은 표현도 말해 보세요.

What are you -ing ~?

너는 무엇을 ~하고 있어?

- **eating** 먹고 있는

- **talking about** ~에 대해 말하고 있는

I hate cheese .

나는 치즈를 싫어해.

I hate _____ .

나는 ~을 싫어해.

초등 필수 영단어 | **cheese** 치즈

소리 내어 읽어 보기 | 원어민 선생님을 따라서 3번 말해 보세요.

음성 듣기

패턴 복습

I / hate / cheese.
I hate / cheese.
I hate cheese.

오늘의 문장을 연습한 만큼 스마일에 동그라미 해보세요.
연습이 끝났다면 왕 스마일에 표시!

What are you thinking about?

너는 무슨 생각하고 있니?

- -

What are you -ing ?

너는 무엇을 ~하고 있어?

초등 필수 영단어 think about ~에 대해 생각하다

소리 내어 읽어 보기 원어민 선생님을 따라서 3번 말해 보세요.

음성 듣기

패턴 복습

What / are / you / thinking about?
What are you / thinking about?
What are you thinking about?

오늘의 문장을 연습한 만큼 스마일에 동그라미 해보세요.
연습이 끝났다면 왕 스마일에 표시!

I hate hot weather.

나는 더운 날씨를 싫어해.

I hate _____.

나는 ~을 싫어해.

초등 필수 영단어 hot 더운 weather 날씨

소리 내어 읽어 보기 원어민 선생님을 따라서 3번 말해 보세요.

음성 듣기

패턴 복습

I / hate / hot / weather.
I hate / hot weather.
I hate hot weather.

오늘의 문장을 연습한 만큼 스마일에 동그라미 해보세요.
연습이 끝났다면 왕 스마일에 표시!

What are you looking for?

너는 무엇을 찾고 있니?

What are you -ing ?

너는 무엇을 ~하고 있어?

초등 필수 영단어

look for ~을 찾다

소리 내어 읽어 보기

원어민 선생님을 따라서 3번 말해 보세요.

음성 듣기

패턴 복습

What / are / you / looking for?
What are you / looking for?
What are you looking for?

오늘의 문장을 연습한 만큼 스마일에 동그라미 해보세요.
연습이 끝났다면 왕 스마일에 표시!

5

[fifth]

I hate rainy days.

나는 비 오는 날을 싫어해.

I hate _____.

나는 ~을 싫어해.

초등 필수 영단어 **rainy** 비가 오는   **day** 하루, 날

소리 내어 읽어 보기 원어민 선생님을 따라서 3번 말해 보세요.

음성 듣기

패턴 복습

I / hate / rainy / days.
I hate / rainy days.
I hate rainy days.

오늘의 문장을 연습한 만큼 스마일에 동그라미 해보세요.
연습이 끝났다면 왕 스마일에 표시!

What are you making?

너는 무엇을 만들고 있니?

What are you -ing   ?

너는 무엇을 ~하고 있어?

초등 필수 영단어

make 만들다

소리 내어 읽어 보기

원어민 선생님을 따라서 3번 말해 보세요.

음성듣기

패턴 복습

What / are / you / making?
What are you / making?
What are you making?

오늘의 문장을 연습한 만큼 스마일에 동그라미 해보세요.
연습이 끝났다면 왕 스마일에 표시!

I hate scary movies.

나는 무서운 영화를 싫어해.

Horror Stories

MAY14

I hate .

나는 ~을 싫어해.

초등 필수 영단어 **scary** 무서운, 겁나는 **movie** 영화

소리 내어 읽어 보기   원어민 선생님을 따라서 3번 말해 보세요.

음성 듣기

패턴 복습

I / hate / scary / movies.
I hate / scary movies.
I hate scary movies.

오늘의 문장을 연습한 만큼 스마일에 동그라미 해보세요.
연습이 끝났다면 왕 스마일에 표시!

What are you reading?

너는 무엇을 읽고 있니?

What are you -ing   ?

너는 무엇을 ~하고 있어?

초등 필수 영단어   **read** (책을) 읽다

소리 내어 읽어 보기   원어민 선생님을 따라서 3번 말해 보세요.

음성 듣기

패턴 복습

What / are / you / reading?
What are you / reading?
What are you reading?

오늘의 문장을 연습한 만큼 스마일에 동그라미 해보세요.
연습이 끝났다면 왕 스마일에 표시!

Let's speak! 이번 주에 배운 문장을 복습해 보세요.

I hate **bugs.** 나는 벌레를 싫어해.

I hate **cheese.** 나는 치즈를 싫어해.

I hate **hot weather.** 나는 더운 날씨를 싫어해.

I hate **rainy days.** 나는 비 오는 날을 싫어해.

I hate **scary movies.** 나는 무서운 영화를 싫어해.

이번 주에 배운 패턴과 같이 다음과 같은 표현도 말해 보세요.

I hate ~.
나는 ~을 싫어해.

- **winter** 겨울
- **exams** 시험
- **math homework** 수학 숙제

24
[twenty-fourth]

What are you doing?

너는 무엇을 하고 있니?

What are you -ing   **?**

너는 무엇을 ~하고 있어?

초등 필수 영단어　　**do** 하다

소리 내어 읽어 보기　　원어민 선생님을 따라서 3번 말해 보세요.

음성듣기　　패턴 복습

What / are / you / doing?
What are you / doing?
What are you doing?

오늘의 문장을 연습한 만큼 스마일에 동그라미 해보세요.
연습이 끝났다면 왕 스마일에 표시!

Let's talk! 이번 주에 배운 문장으로 가족들과 함께 대화를 주고받아 보세요.

Look! There is a spider.
봐봐! 거미가 있어.

What? I hate bugs!
뭐? 나는 벌레가 싫어!

It's so hot today!
오늘 정말 덥다!

I hate hot weather.
나는 더운 날씨가 싫어.

• **look** 보다 • **spider** 거미 • **so** 정말, 너무 • **today** 오늘

Let's talk! 이번 주에 배운 문장으로 가족들과 함께 대화를 주고받아 보세요.

Where is Andy?

앤디는 어디에 있어?

He's sitting in the classroom.

그는 교실에 앉아 있어.

What is Jina doing?

지나는 뭐 하고 있어요?

She's taking a piano lesson now.

그녀는 지금 피아노 수업을 받고 있어.

다음 문장 패턴은 나중에 알아보기로 해요.

Where is ~?

~는 어디에 있어?

▶ 46th week

Do you **live here**?

너는 여기에 사니?

Do you _____ ?

너는 ~하니(해)?

초등 필수 영단어   **live** 살다   **here** 여기에

소리 내어 읽어 보기   원어민 선생님을 따라서 3번 말해 보세요.

음성듣기

패턴복습

Do / you / live / here?
Do you / live here?
Do you live here?

오늘의 문장을 연습한 만큼 스마일에 동그라미 해보세요.
연습이 끝났다면 왕 스마일에 표시!

Let's speak! 이번 주에 배운 문장을 복습해 보세요.

He's **making** a noise.
그는 시끄럽게 하고 있어.

He's **sitting** in the classroom.
그는 교실에 앉아 있어.

She's **wearing** a blue shirt.
그녀는 파란색 셔츠를 입고 있어.

She's **taking** a piano lesson.
그녀는 피아노 수업을 받고 있어.

She's **learning** Taekwondo.
그녀는 태권도를 배우고 있어.

이번 주에 배운 패턴과 함께 다음과 같은 표현도 말해 보세요.

He's -ing ~.
그는 ~하고 있어.

She's -ing ~.
그녀는 ~하고 있어.

- **playing outside** 밖에서 놀고 있는
- **wearing glasses** 안경을 쓰고 있는
- **taking a shower** 샤워를 하고 있는

Do you like pizza?

너는 피자를 좋아하니?

Do you _____ ?

너는 ~하니(해)?

초등 필수 영단어

like 좋아하다   **pizza** 피자

소리 내어 읽어 보기   원어민 선생님을 따라서 3번 말해 보세요.

음성 듣기

패턴 복습

Do / you / like / pizza?
Do you / like pizza?
Do you like pizza?

오늘의 문장을 연습한 만큼 스마일에 동그라미 해보세요.
연습이 끝났다면 왕 스마일에 표시!

She's learning Taekwondo.

그녀는 태권도를 배우고 있어.

- -

She's -ing _____.

그는 ~하고 있어.

초등 필수 영단어　　**learn** 배우다　**Taekwondo** 태권도

소리 내어 읽어 보기　원어민 선생님을 따라서 3번 말해 보세요.

음성듣기

패턴 복습

She is / learning / Taekwondo.
She's learning / Taekwondo.
She's learning Taekwondo.

*She's는 She is를 줄인 말이에요.

오늘의 문장을 연습한 만큼 스마일에 동그라미 해보세요.
연습이 끝났다면 왕 스마일에 표시!

Do you **know the boy?**

너는 그 남자아이를 아니?

Do you _____ ?

너는 ~하니(해)?

초등 필수 영단어   **know** 알다   **boy** 남자아이, 소년

소리 내어 읽어 보기   원어민 선생님을 따라서 3번 말해 보세요.

음성듣기   패턴복습

Do / you / know / the boy?
Do you / know the boy?
Do you know the boy?

오늘의 문장을 연습한 만큼 스마일에 동그라미 해보세요.
연습이 끝났다면 왕 스마일에 표시!

She's **tak**ing a piano lesson.

그녀는 피아노 수업을 받고 있어.

She's -ing   .

그는 ~하고 있어.

초등 필수 영단어

take a lesson 수업[레슨]을 받다

소리 내어 읽어 보기

원어민 선생님을 따라서 3번 말해 보세요.

음성듣기

패턴 복습

She is / taking / a piano / lesson.
She's taking / a piano lesson.
She's taking a piano lesson.

*She's는 She is를 줄인 말이에요.

오늘의 문장을 연습한 만큼 스마일에 동그라미 해보세요.
연습이 끝났다면 왕 스마일에 표시!

Do you **have an eraser?**

너는 지우개가 있니?

Do you _____ **?**

너는 ~하니(해)?

초등 필수 영단어

have 가지고 있다 **eraser** 지우개

소리 내어 읽어 보기

원어민 선생님을 따라서 3번 말해 보세요.

음성 듣기

패턴 복습

Do / you / have / an eraser?
Do you / have an eraser?
Do you have an eraser?

오늘의 문장을 연습한 만큼 스마일에 동그라미 해보세요.
연습이 끝났다면 왕 스마일에 표시!

She's **wearing** a blue shirt.

그녀는 파란색 셔츠를 입고 있어.

She's -ing _____ .

그는 ~하고 있어.

초등 필수 영단어

wear 입다, 쓰다, 신다　**blue** 파란색의; 파란색
shirt 셔츠

소리 내어 읽어 보기

원어민 선생님을 따라서 3번 말해 보세요.

음성듣기　패턴복습

She is / wearing / a blue shirt.
She's wearing / a blue shirt.
She's wearing a blue shirt.

*She's는 She is를 줄인 말이에요.

오늘의 문장을 연습한 만큼 스마일에 동그라미 해보세요.
연습이 끝났다면 왕 스마일에 표시!

Do you **need more time?**

너는 시간이 좀 더 필요하니?

Do you _____ **?**

너는 ~하니(해)?

초등 필수 영단어 **more** 더 많은 **time** 시간

소리 내어 읽어 보기 원어민 선생님을 따라서 3번 말해 보세요.

음성듣기

패턴 복습

Do / you / need / more / time?
Do you / need / more time?
Do you need more time?

오늘의 문장을 연습한 만큼 스마일에 동그라미 해보세요.
연습이 끝났다면 왕 스마일에 표시!

He's sitting in the classroom.

그는 교실에 앉아 있어.

He's -ing [   ].

그는 ~하고 있어.

초등 필수 영단어   sit 앉다   classroom 교실

소리 내어 읽어 보기   원어민 선생님을 따라서 3번 말해 보세요.

음성 듣기

패턴 복습

He is / sitting / in / the classroom.
He's sitting / in the classroom.
He's sitting in the classroom.

*He's는 He is를 줄인 말이에요.

오늘의 문장을 연습한 만큼 스마일에 동그라미 해보세요.
연습이 끝났다면 왕 스마일에 표시!

Let's speak! 이번 주에 배운 문장을 복습해 보세요.

Do you **live here?** 너는 여기에 사니?

Do you **like pizza?** 너는 피자를 좋아하니?

Do you **know the boy?**
너는 그 남자아이를 아니?

Do you **have an eraser?** 너는 지우개가 있니?

Do you **need more time?**
너는 시간이 좀 더 필요하니?

이번 주에 배운 패턴과 함께 다음과 같은 표현도 말해 보세요.

Do you ~?
너는 ~하니(해)?

• **know the answer** 답을 알다 • **want some more** 좀 더 원하다

• **remember her name** 그녀의 이름을 기억하다

He's making a noise.

그는 시끄럽게 하고 있어.

. . . .

He's -ing [ ].

그는 ~하고 있어.

초등 필수 영단어

make a noise 시끄럽게 하다

소리 내어 읽어 보기

원어민 선생님을 따라서 3번 말해 보세요.

음성 듣기

패턴 복습

He is / making / a noise.
He's making / a noise.
He's making a noise.

*He's는 He is를 줄인 말이에요.

오늘의 문장을 연습한 만큼 스마일에 동그라미 해보세요.
연습이 끝났다면 왕 스마일에 표시!

Let's talk! 이번 주에 배운 문장으로 가족들과 함께 대화를 주고받아 보세요.

Do you **know the boy?**
너는 그 남자아이를 아니?

Yes. He is **my friend.**
네. 그는 제 친구예요.

Do you **have an eraser?**
너 지우개 있어?

No. Can I **borrow yours?**
아니. 네 것(네 지우개) 좀 빌릴 수 있을까?

• **my** 나의 • **friend** 친구 • **borrow** 빌리다 • **yours** 너의 것

다음 문장 패턴은 나중에 알아보기로 해요.

Can I ~?
내가 ~해도 될까?

▶ 22nd week

Let's talk! 이번 주에 배운 문장으로 가족들과 함께 대화를 주고받아 보세요.

Where are you going?

너는 어디에 가는 중이야?

I'm going home now.

나는 지금 집에 가는 중이야.

What are you doing?

너 뭐 하고 있니?

I'm playing with my friends.

제 친구들이랑 놀고 있어요.

다음 문장 패턴은 나중에 알아보기로 해요.

What are you -ing ~?
너는 무엇을 ~하고 있어?

▶ 39th week

He has **a cute smile.**

그는 귀여운 미소를 가지고 있어.

He has _____.

그는 ~이 있어.

---

cute 귀여운   **smile** 미소; 미소 짓다

원어민 선생님을 따라서 3번 말해 보세요.

음성듣기   패턴복습

He / has / a / cute / smile.
He has / a cute smile.
He has a cute smile.

오늘의 문장을 연습한 만큼 스마일에 동그라미 해보세요.
연습이 끝났다면 왕 스마일에 표시!

Let's speak! 이번 주에 배운 문장을 복습해 보세요.

I'm **eating dinner.** 나는 저녁을 먹고 있어.

I'm **playing a game.** 나는 게임을 하고 있어.

I'm **going home.** 나는 집에 가고 있어.

I'm **listening to music.** 나는 음악을 듣고 있어.

I'm **playing with my friends.**
나는 내 친구들이랑 놀고 있어.

이번 주에 배운 패턴과 함께 다음과 같은 표현도 말해 보세요.

I'm -ing ~.
나는 ~하고 있어.

- **having fun** 재미있게 놀고 있는
- **going to school** 학교에 가고 있는

He has **curly hair.**

그는 곱슬머리를 가지고 있어. (곱슬머리야.)

He has _____ .

그는 ~이 있어.

초등 필수 영단어   **curly** 곱슬곱슬한   **hair** 머리카락

소리 내어 읽어 보기   원어민 선생님을 따라서 3번 말해 보세요.

음성 듣기

패턴 복습

He / has / curly / hair.
He has / curly hair.
He has curly hair.

오늘의 문장을 연습한 만큼 스마일에 동그라미 해보세요.
연습이 끝났다면 왕 스마일에 표시!

I'm **play**ing **with my friends.**

나는 내 친구들이랑 놀고 있어.

I'm -ing _____ .

나는 ~하고 있어.

초등 필수 영단어   play with ~와 놀다   friend 친구

소리 내어 읽어 보기   원어민 선생님을 따라서 3번 말해 보세요.

음성 듣기   패턴 복습

I am / playing / with / my / friends.
I'm playing / with my friends.
I'm playing with my friends.

*I'm은 I am을 줄인 말이에요.

오늘의 문장을 연습한 만큼 스마일에 동그라미 해보세요.
연습이 끝났다면 왕 스마일에 표시!

She has **bangs.**

그녀는 앞머리가 있어.

. . . .

She has   .

그녀는 ~이 있어.

초등 필수 영단어   **bangs** 앞머리

소리 내어 읽어 보기   원어민 선생님을 따라서 3번 말해 보세요.

음성 듣기

패턴 복습

She / has / bangs.
She has / bangs.
She has bangs.

오늘의 문장을 연습한 만큼 스마일에 동그라미 해보세요.
연습이 끝났다면 왕 스마일에 표시!

I'm listening to music.

나는 음악을 듣고 있어.

I'm -ing _____.

나는 ~하고 있어.

초등 필수 영단어　　listen to ~을 듣다　　music 음악

소리 내어 읽어 보기　　원어민 선생님을 따라서 3번 말해 보세요.

음성 듣기　　패턴 복습

I am / listening to / music.
I'm listening to / music.
I'm listening to music.

*I'm은 I am을 줄인 말이에요.

오늘의 문장을 연습한 만큼 스마일에 동그라미 해보세요.
연습이 끝났다면 왕 스마일에 표시!

She has **many friends.**

그녀는 많은 친구들이 있어. (친구가 많아.)

She has ⬛⬛⬛⬛⬛⬛.

그녀는 ~이 있어.

초등 필수 영단어　　**many** 많은　**friend** 친구

소리 내어 읽어 보기　원어민 선생님을 따라서 3번 말해 보세요.

음성 듣기　패턴 복습

She / has / many / friends.
She has / many friends.
She has many friends.

오늘의 문장을 연습한 만큼 스마일에 동그라미 해보세요.
연습이 끝났다면 왕 스마일에 표시!

I'm going home.

나는 집에 가고 있어.

I'm -ing _____.

나는 ~하고 있어.

초등 필수 영단어   go home 집에 가다

소리 내어 읽어 보기   원어민 선생님을 따라서 3번 말해 보세요.

음성 듣기   패턴 복습

I am / going / home.
I'm going / home.
I'm going home.

*I'm은 I am을 줄인 말이에요.

오늘의 문장을 연습한 만큼 스마일에 동그라미 해보세요.
연습이 끝났다면 왕 스마일에 표시!

She has good eyes.

그녀는 좋은 눈을 가지고 있어. (눈이 좋아.)

She has _____.

그녀는 ~이 있어.

초등 필수 영단어

have good eyes 눈이 좋다, 시력이 좋다

소리 내어 읽어 보기

원어민 선생님을 따라서 3번 말해 보세요.

음성 듣기

패턴 복습

She / has / good / eyes.
She has / good eyes.
She has good eyes.

오늘의 문장을 연습한 만큼 스마일에 동그라미 해보세요.
연습이 끝났다면 왕 스마일에 표시!

I'm **play**ing **a game.**

나는 게임을 하고 있어.

- -

I'm -ing   .

나는 ~하고 있어.

초등 필수 영단어   **play a game** 게임을 하다

소리 내어 읽어 보기   원어민 선생님을 따라서 3번 말해 보세요.

음성 듣기

패턴 복습

I am / playing / a game.
I'm playing / a game.
I'm playing a game.

*I'm은 I am을 줄인 말이에요.

오늘의 문장을 연습한 만큼 스마일에 동그라미 해보세요.
연습이 끝났다면 왕 스마일에 표시!

Let's speak! 이번 주에 배운 문장을 복습해 보세요.

He has **a cute smile.** 그는 귀여운 미소를 가지고 있어.

He has **curly hair.** 그는 곱슬머리를 가지고 있어.

She has **bangs.** 그녀는 앞머리가 있어.

She has **many friends.** 그녀는 많은 친구들이 있어.

She has **good eyes.** 그녀는 눈이 좋아.

이번 주에 배운 패턴과 함께 다음과 같은 표현도 말해 보세요.

He has ~.
그는 ~이 있어.

She has ~.
그녀는 ~이 있어.

- **brown eyes** 갈색 눈
- **straight hair** 생머리
- **big feet** 큰 발
- **a good memory** 좋은 기억력

I'm **eating** dinner.

나는 저녁을 먹고 있어.

I'm -ing _____ .

나는 ~하고 있어.

초등 필수 영단어   **eat dinner** 저녁을 먹다

소리 내어 읽어 보기   원어민 선생님을 따라서 3번 말해 보세요.

음성듣기   패턴 복습

I am / eating / dinner.
I'm eating / dinner.
I'm eating dinner.

*I'm은 I am을 줄인 말이에요.

오늘의 문장을 연습한 만큼 스마일에 동그라미 해보세요.
연습이 끝났다면 왕 스마일에 표시!

Let's talk! 이번 주에 배운 문장으로 가족들과 함께 대화를 주고받아 보세요.

He has **a cute smile.**
그는 귀여운 미소를 가지고 있어.

I know. He is **my favorite singer.**
맞아. 그는 내가 가장 좋아하는 가수야.

She has **many friends.**
그녀는 친구들이 많아.

Yeah, she is **popular.**
응, 그녀는 인기가 많아.

• **I know.** 그래, 맞아 • **my** 나의 • **favorite** 가장 좋아하는 • **singer** 가수
• **popular** 인기 있는

Let's talk! 이번 주에 배운 문장으로 가족들과 함께 대화를 주고받아 보세요.

I'm **really worried.**

전 정말 걱정돼요.

You don't have to **worry.**
You can **do it.**

걱정하지 않아도 돼. 넌 할 수 있어.

I'm **too full.**
I can't **eat any more.**

너무 배불러요. 더는 못 먹겠어요.

You don't have to **eat them all.**

너는 그것들을 다 먹지 않아도 돼.

• **really** 정말 • **worried** 걱정하는 • **too** 너무 • **full** 배부른
• **any more** 더 이상, 이제는

Does she know you?

그녀는 너를 아니?

Does she _____ **?**

그녀는 ~하니(~해)?

초등 필수 영단어

know 알다

소리 내어 읽어 보기

원어민 선생님을 따라서 3번 말해 보세요.

음성 듣기

패턴 복습

Does / she / know / you?
Does she / know you?
Does she know you?

오늘의 문장을 연습한 만큼 스마일에 동그라미 해보세요.
연습이 끝났다면 왕 스마일에 표시!

Let's speak! 이번 주에 배운 문장을 복습해 보세요.

You don't have to **worry.** 너는 걱정하지 않아도 돼.

You don't have to **be sorry.**
너는 미안해 할 필요가 없어.

You don't have to **tell me.**
너는 나에게 말하지 않아도 돼.

You don't have to **decide now.**
너는 지금 결정할 필요가 없어.

You don't have to **eat them all.**
너는 그것들을 다 먹지 않아도 돼.

이번 주에 배운 패턴과 함께 다음과 같은 표현도 말해 보세요.

You don't have to ~.
너는 ~할 필요가 없어(~하지 않아도 돼).

- **bring your lunchbox** 너의 도시락을 가져오다

- **be scared** 무서워하다

Does he **wear glasses?**

그는 안경을 쓰니?

Does he [ ]?

그는 ~하니(~해)?

초등 필수 영단어   **wear** 입다, 쓰다, 신다   **glasses** 안경

소리 내어 읽어 보기   원어민 선생님을 따라서 3번 말해 보세요.

음성듣기

패턴 복습

Does / he / wear / glasses?
Does he / wear glasses?
Does he wear glasses?

오늘의 문장을 연습한 만큼 스마일에 동그라미 해보세요.
연습이 끝났다면 왕 스마일에 표시!

You don't have to eat them all.

너는 그것들을 다 먹지 않아도 돼.

You don't have to _____ .

너는 ~할 필요가 없어(~하지 않아도 돼).

초등 필수 영단어　　**eat** 먹다　**all** 다, 모두

소리 내어 읽어 보기　　원어민 선생님을 따라서 3번 말해 보세요.

음성 듣기　패턴 복습

You / don't have to / eat / them / all.
You don't have to / eat them all.
You don't have to eat them all.

*don't는 do not의 줄임말이에요.

오늘의 문장을 연습한 만큼 스마일에 동그라미 해보세요.
연습이 끝났다면 왕 스마일에 표시!

Does she have a brother?

그녀는 오빠[남동생]가 있니?

Me

- -

Does she _____?

그녀는 ~하니[~해]?

초등 필수 영단어

brother 오빠, 형, 남동생

소리 내어 읽어 보기 원어민 선생님을 따라서 3번 말해 보세요.

음성 듣기

패턴 복습

Does / she / have / a brother?
Does she / have a brother?
Does she have a brother?

오늘의 문장을 연습한 만큼 스마일에 동그라미 해보세요.
연습이 끝났다면 왕 스마일에 표시!

6

[sixth]

You don't have to decide now.

너는 지금 결정할 필요가 없어.

You don't have to 　　　　　.

너는 ~할 필요가 없어(~하지 않아도 돼).

초등 필수 영단어　　**decide** 결정하다　**now** 지금

소리 내어 읽어 보기　　원어민 선생님을 따라서 3번 말해 보세요.

음성 듣기

패턴 복습

You / don't have to / decide / now.
You don't have to / decide now.
You don't have to decide now.

*don't는 do not의 줄임말이에요.

오늘의 문장을 연습한 만큼 스마일에 동그라미 해보세요.
연습이 끝났다면 왕 스마일에 표시!

Does he **have a cell phone?**

그는 핸드폰이 있니?

Does he _____ **?**

그는 ~하니(~해)?

초등 필수 영단어 **cell phone** 휴대폰

소리 내어 읽어 보기 원어민 선생님을 따라서 3번 말해 보세요.

음성 듣기 패턴 복습

Does / he / have / a cell phone?
Does he / have a cell phone?
Does he have a cell phone?

오늘의 문장을 연습한 만큼 스마일에 동그라미 해보세요.
연습이 끝났다면 왕 스마일에 표시!

You don't have to tell me.

너는 나에게 말하지 않아도 돼.

● ●

You don't have to _____.

너는 ~할 필요가 없어(~하지 않아도 돼).

초등 필수 영단어

tell 말하다

소리 내어 읽어 보기

원어민 선생님을 따라서 3번 말해 보세요.

음성 듣기

패턴 복습

You / don't have to / tell / me.
You don't have to / tell me.
You don't have to tell me.

*don't는 do not의 줄임말이에요.

오늘의 문장을 연습한 만큼 스마일에 동그라미 해보세요.
연습이 끝났다면 왕 스마일에 표시!

27

[twenty-seventh]

Does he like camping?

그는 캠핑을 좋아하니?

Does he   ?

그는 ~하니(~해)?

초등 필수 영단어

camping 캠핑

소리 내어 읽어 보기

원어민 선생님을 따라서 3번 말해 보세요.

음성듣기

패턴 복습

Does / he / like / camping?
Does he / like camping?
Does he like camping?

오늘의 문장을 연습한 만큼 스마일에 동그라미 해보세요.
연습이 끝났다면 왕 스마일에 표시!

You don't have to be sorry.

너는 미안해 할 필요가 없어.

You don't have to _____.

너는 ~할 필요가 없어(~하지 않아도 돼).

초등 필수 영단어   **sorry** 미안한

소리 내어 읽어 보기   원어민 선생님을 따라서 3번 말해 보세요.

음성 듣기   패턴 복습

You / don't have to / be / sorry.
You don't have to / be sorry.
You don't have to be sorry.

*don't는 do not의 줄임말이에요.

오늘의 문장을 연습한 만큼 스마일에 동그라미 해보세요.
연습이 끝났다면 왕 스마일에 표시!

Let's speak! 이번 주에 배운 문장을 복습해 보세요.

Does she **know you?** 그녀는 너를 아니?

Does he **wear glasses?** 그는 안경을 쓰니?

Does she **have a brother?**
그녀는 오빠[남동생]가 있니?

Does he **have a cell phone?**
그는 핸드폰이 있니?

Does he **like camping?** 그는 캠핑을 좋아하니?

이번 주에 배운 패턴과 함께 다음과 같은 표현도 말해 보세요.

Does he ~?
그는 ~하니(~해)?

Does she ~?
그녀는 ~하니(~해)?

- **have a sister** 누나[언니, 여동생]가 있다
- **bother you** 너를 괴롭히다

You don't have to worry.

너는 걱정하지 않아도 돼.

· ·

You don't have to _____.

너는 ~할 필요가 없어(~하지 않아도 돼).

*앞에서 배운 have to(~해야 한다)와 의미가 다르니 주의하세요.

초등 필수 영단어

worry 걱정하다

소리 내어 읽어 보기

원어민 선생님을 따라서 3번 말해 보세요.

음성 듣기

패턴 복습

You / don't have to / worry.
You don't have to / worry.
You don't have to worry.

*don't는 do not의 줄임말이에요.

오늘의 문장을 연습한 만큼 스마일에 동그라미 해보세요.
연습이 끝났다면 왕 스마일에 표시!

April

29

[twenty-ninth]

17th week

Let's talk! 이번 주에 배운 문장으로 가족들과 함께 대화를 주고받아 보세요.

Does she wear glasses?
그녀는 안경을 쓰니?

No. She has good eyes.
아니요. 그녀는 눈이 좋거든요.

Does he have a cell phone?
그 애는 핸드폰이 있니?

Yes. I have his number.
네. 저는 그의 (핸드폰) 번호가 있어요.

- **have[has] good eyes** 눈이 좋다, 시력이 좋다
- **his** 그의 • **number** (전화) 번호; 숫자

Let's talk! 이번 주에 배운 문장으로 가족들과 함께 대화를 주고받아 보세요.

I'm not **ready.**
Will you wait for me?

나 아직 준비가 안 됐어. 기다려 줄래?

Sure.

좋아.

Will you **play soccer today?**

오늘 축구 할 거니?

Yes, **will you join us?**

네, 같이 하실래요?

• **ready** 준비가 된 • **join** 같이 하다, 함께 하다

30

[thirtieth]

There are **many people.**

사람들이 많이 있어.

There are _____ .

~이 있어.

*There are~. 는 물건이나 사람이 둘 이상 있을 때 사용해요.

초등 필수 영단어 **many** 많은 **people** 사람들

소리 내어 읽어 보기 원어민 선생님을 따라서 3번 말해 보세요.

음성 듣기

패턴 복습

There / are / many / people.
There are / many people.
There are many people.

오늘의 문장을 연습한 만큼 스마일에 동그라미 해보세요.
연습이 끝났다면 왕 스마일에 표시!

Let's speak! 이번 주에 배운 문장을 복습해 보세요.

Will you **help me?** 나를 도와줄래?

Will you **wait for me?** 나를 기다려 줄래?

Will you **play soccer?** 너는 축구 할 거야?

Will you **be home tomorrow?**
너는 내일 집에 있을 거야?

Will you **take a picture of me?**
제 사진 좀 찍어주실래요?

이번 주에 배운 패턴과 함께 다음과 같은 표현도 말해 보세요.

Will you ~?
너는 ~할 거야? / 너는 ~해 줄래?

- **use the bathroom** 화장실을 사용하다
- **ask your teacher** 선생님께 여쭤보다

5
May

9
September

There are **many bugs.**

벌레들이 많이 있어.

There are ⬚⬚⬚⬚ **.**

~이 있어.

초등 필수 영단어

bugs 벌레들

소리 내어 읽어 보기

원어민 선생님을 따라서 3번 말해 보세요.

음성듣기

패턴복습

There / are / many / bugs.
There are / many bugs.
There are many bugs.

오늘의 문장을 연습한 만큼 스마일에 동그라미 해보세요.
연습이 끝났다면 왕 스마일에 표시!

Will you take a picture of me?

제 사진 좀 찍어주실래요?

Will you _____ ?

너는 ~할 거야? / 너는 ~해 줄래?

초등 필수 영단어

take a picture 사진을 찍다

소리 내어 읽어 보기

원어민 선생님을 따라서 3번 말해 보세요.

음성듣기

패턴복습

Will / you / take / a picture / of / me?
Will you / take a picture / of me?
Will you take a picture of me?

오늘의 문장을 연습한 만큼 스마일에 동그라미 해보세요.
연습이 끝났다면 왕 스마일에 표시!

There are **some problems.**

몇 가지 문제들이 있어.

There are [_____].

~이 있어.

초등 필수 영단어   **some** 몇몇, 약간의   **problem** 문제

소리 내어 읽어 보기   원어민 선생님을 따라서 3번 말해 보세요.

음성 듣기

패턴 복습

There / are / some / problems.
There are / some problems.
There are some problems.

오늘의 문장을 연습한 만큼 스마일에 동그라미 해보세요.
연습이 끝났다면 왕 스마일에 표시!

Will you be home tomorrow?

너는 내일 집에 있을 거야?

Will you _____ **?**

너는 ~할 거야? / 너는 ~해 줄래?

초등 필수 영단어   be home 집에 있다   tomorrow 내일

소리 내어 읽어 보기   원어민 선생님을 따라서 3번 말해 보세요.

음성듣기

패턴 복습

Will / you / be / home / tomorrow?
Will you / be home / tomorrow?
Will you be home tomorrow?

오늘의 문장을 연습한 만큼 스마일에 동그라미 해보세요.
연습이 끝났다면 왕 스마일에 표시!

There are empty seats.

빈자리들이 있어.

There are _____.

~이 있어.

초등 필수 영단어　　**empty** 비어 있는, 빈　**seat** 자리, 좌석

소리 내어 읽어 보기　　원어민 선생님을 따라서 3번 말해 보세요.

음성 듣기　패턴 복습

There / are / empty / seats.
There are / empty seats.
There are empty seats.

오늘의 문장을 연습한 만큼 스마일에 동그라미 해보세요.
연습이 끝났다면 왕 스마일에 표시!

Will you play soccer?

너는 축구 할 거야?

- -

Will you [   ]?

너는 ~할 거야? / 너는 ~해 줄래?

초등 필수 영단어　　play soccer 축구를 하다

소리 내어 읽어 보기　　원어민 선생님을 따라서 3번 말해 보세요.

음성 듣기

패턴 복습

Will / you / play / soccer?
Will you / play soccer?
Will you play soccer?

오늘의 문장을 연습한 만큼 스마일에 동그라미 해보세요.
연습이 끝났다면 왕 스마일에 표시!

There are many fun rides!

재미있는 놀이 기구들이 많이 있어!

There are [   ].

~이 있어.

초등 필수 영단어   **many** 많은   **fun** 재미있는   **ride** 놀이 기구

소리 내어 읽어 보기   원어민 선생님을 따라서 3번 말해 보세요.

음성 듣기

패턴 복습

There / are / many / fun / rides!
There are / many fun rides!
There are many fun rides!.

오늘의 문장을 연습한 만큼 스마일에 동그라미 해보세요.
연습이 끝났다면 왕 스마일에 표시!

Will you **wait for me?**

나를 기다려 줄래?

Will you **_____** **?**

너는 ~할 거야? / 너는 ~해 줄래?

초등 필수 영단어   **wait for** ~을 기다리다

소리 내어 읽어 보기   원어민 선생님을 따라서 3번 말해 보세요.

음성 듣기

패턴 복습

Will / you / wait / for / me?
Will you / wait for me?
Will you wait for me?

오늘의 문장을 연습한 만큼 스마일에 동그라미 해보세요.
연습이 끝났다면 왕 스마일에 표시!

Let's speak! 이번 주에 배운 문장을 복습해 보세요.

There are **many people.** 사람들이 많이 있어.

There are **many bugs.** 벌레들이 많이 있어.

There are **some problems.**
몇 가지 문제들이 있어.

There are **empty seats.** 빈자리들이 있어.

There are **many fun rides!**
재미있는 놀이 기구들이 많이 있어!

이번 주에 배운 패턴과 함께 다음과 같은 표현도 말해 보세요.

There are ~.
~이 있어.

- **ten questions** 열 문제
- **many books** 많은 책들

Will you help me?

나를 도와줄래?

- -

Will you _____?

너는 ~할 거야? / 너는 ~해 줄래?

*Will you ~?는 상대방에게 미래에 뭘 할지 물을 때, 그리고 무언가 부탁할 때도 쓰여요.

초등 필수 영단어   **help** 도와주다

소리 내어 읽어 보기   원어민 선생님을 따라서 3번 말해 보세요.

음성 듣기

패턴 복습

Will / you / help / me?
Will you / help me?
Will you help me?

오늘의 문장을 연습한 만큼 스마일에 동그라미 해보세요.
연습이 끝났다면 왕 스마일에 표시!

Let's talk! 이번 주에 배운 문장으로 가족들과 함께 대화를 주고받아 보세요.

There are many bugs here.

여기 벌레들이 많아요.

Yeah, you should wear a jacket.

그래, 너는 재킷을 입는 게 좋겠어.

There are empty seats.

빈자리들이 있어요.

Great. Let's sit down.

잘됐다. 자리에 앉자.

- **here** 여기에 • **wear** 입다, 신다 • **jacket** 재킷 • **sit down** 앉다

다음 문장 패턴은 나중에 알아보기로 해요.

You should ~.
너는 ~해야 해.

▶ 28th week

Let's ~.
~하자.

▶ 48th week

Let's talk! 이번 주에 배운 문장으로 가족들과 함께 대화를 주고받아 보세요.

Do you **want some snacks**?

간식 좀 줄까?

I have to **wash my hands first.**

전 먼저 손부터 씻어야 해요.

Can we have a table?

자리 있나요?

Sorry, you have to **wait in line.**

죄송하지만, 줄 서서 기다리셔야 합니다.

• **snack** 간식 • **first** 먼저, 우선; 첫째의 • **have a table** (식당에서) 자리가 있다

Is there any **water**?

물이 좀 있나요?

Is there any ?

~이 (조금이라도) 있나요?

*Is there any ~?는 무엇(셀 수 없는 것)이 조금이라도 있는지 물어볼 때 사용해요.

초등 필수 영단어   **water** 물

소리 내어 읽어 보기   원어민 선생님을 따라서 3번 말해 보세요.

음성듣기

패턴복습

Is / there / any / water?
Is there any / water?
Is there any water?

오늘의 문장을 연습한 만큼 스마일에 동그라미 해보세요.
연습이 끝났다면 왕 스마일에 표시!

Let's speak! 이번 주에 배운 문장을 복습해 보세요.

I have to **wash my hands.** 나는 손을 씻어야 해.

I have to **change my clothes.**
나는 옷을 갈아입어야 해.

You have to **wait in line.** 너는 줄 서서 기다려야 해.

You have to **come back now.**
너는 지금 돌아와야 해.

You have to **exercise more.**
너는 더 많이 운동해야 해.

이번 주에 배운 패턴과 함께 다음과 같은 표현도 말해 보세요.

I have to ~.
나는 ~해야 해.

You have to ~.
너는 ~해야 해.

* **return the books** 책들을 반납하다

* **follow the rules** 규칙을 따르다

8

[eighth]

Is there any **food?**

음식이 좀 있나요?

Is there any ?

~이 (조금이라도) 있나요?

초등 필수 영단어   food 음식

소리 내어 읽어 보기   원어민 선생님을 따라서 3번 말해 보세요.

음성 듣기

패턴 복습

Is / there / any / food?
Is there any / food?
Is there any food?

오늘의 문장을 연습한 만큼 스마일에 동그라미 해보세요.
연습이 끝났다면 왕 스마일에 표시!

You have to exercise more.

너는 더 많이 운동해야 해.

You have to ⬭ .

너는 ~해야 해.

초등 필수 영단어　　exercise 운동하다　　more 더 많이

소리 내어 읽어 보기　　원어민 선생님을 따라서 3번 말해 보세요.

음성듣기

패턴 복습

You / have to / exercise / more.
You have to / exercise more.
You have to exercise more.

오늘의 문장을 연습한 만큼 스마일에 동그라미 해보세요.
연습이 끝났다면 왕 스마일에 표시!

Is there any pizza left?

남은 피자가 좀 있나요?

Is there any ?

~이 (조금이라도) 있나요?

초등 필수 영단어 pizza 피자 left 남아 있는

소리 내어 읽어 보기 원어민 선생님을 따라서 3번 말해 보세요.

음성 듣기

패턴 복습

Is / there / any / pizza / left?
Is there any / pizza left?
Is there any pizza left?

오늘의 문장을 연습한 만큼 스마일에 동그라미 해보세요.
연습이 끝났다면 왕 스마일에 표시!

You have to come back now.

너는 지금 돌아와야 해.

You have to _____.

너는 ~해야 해.

초등 필수 영단어　　**come back** 돌아오다

소리 내어 읽어 보기　　원어민 선생님을 따라서 3번 말해 보세요.

음성 듣기　패턴 복습

You / have to / come back / now.
You have to / come back now.
You have to come back now.

오늘의 문장을 연습한 만큼 스마일에 동그라미 해보세요.
연습이 끝났다면 왕 스마일에 표시!

Are there any questions?

질문들이 좀 있나요?

Are there any _____ ?

~이 (조금이라도) 있나요?

*Are there any ~?는 무엇(여러 개)이 조금이라도 있는지 물어볼 때 사용해요.

초등 필수 영단어

question 질문

소리 내어 읽어 보기   원어민 선생님을 따라서 3번 말해 보세요.

음성 듣기

패턴 복습

Are / there / any / questions?
Are there any / questions?
Are there any questions?

오늘의 문장을 연습한 만큼 스마일에 동그라미 해보세요.
연습이 끝났다면 왕 스마일에 표시!

You have to wait in line.

너는 줄 서서 기다려야 해.

You have to   .

너는 ~해야 해.

초등 필수 영단어

wait in line 줄 서서 기다리다

소리 내어 읽어 보기

원어민 선생님을 따라서 3번 말해 보세요.

음성 듣기

패턴 복습

You / have to / wait / in line.
You have to / wait in line.
You have to wait in line.

오늘의 문장을 연습한 만큼 스마일에 동그라미 해보세요.
연습이 끝났다면 왕 스마일에 표시!

Are there any **good ideas?**

좋은 아이디어들 좀 있나요?

Are there any _____ **?**

~이 (조금이라도) 있나요?

초등 필수 영단어   **good** 좋은   **idea** 아이디어

소리 내어 읽어 보기   원어민 선생님을 따라서 3번 말해 보세요.

음성 듣기   패턴 복습

Are / there / any / good / ideas?
Are there any / good ideas?
Are there any good ideas?

오늘의 문장을 연습한 만큼 스마일에 동그라미 해보세요.
연습이 끝났다면 왕 스마일에 표시!

August

21
[twenty-first]

34th week

I have to change my clothes.

나는 옷을 갈아입어야 해.

I have to ⬚⬚⬚⬚⬚⬚⬚ .

나는 ~해야 해.

초등 필수 영단어　　change one's clothes 옷을 갈아입다

소리 내어 읽어 보기　　원어민 선생님을 따라서 3번 말해 보세요.

음성 듣기

패턴 복습

I / have to / change / my / clothes.
I have to / change my clothes.
I have to change my clothes.

오늘의 문장을 연습한 만큼 스마일에 동그라미 해보세요.
연습이 끝났다면 왕 스마일에 표시!

Let's speak! 이번 주에 배운 문장을 복습해 보세요.

Is there any **water?** 물이 좀 있나요?

Is there any **food?** 음식이 좀 있나요?

Is there any **pizza left?** 남은 피자가 좀 있나요?

Are there any **questions?** 질문들이 좀 있나요?

Are there any **good ideas?**

좋은 아이디어들 좀 있나요?

이번 주에 배운 패턴과 함께 다음과 같은 표현도 말해 보세요.

Is there any ~?
~이 (조금이라도) 있나요?

Are there any ~?
~이 (조금이라도) 있나요?

- **juice** 주스
- **homework** 숙제

- **reasons** 이유들
- **good movies** 괜찮은 영화들

I have to wash my hands.

나는 손을 씻어야 해.

I have to .

나는 ~해야 해.

*have to는 should보다 해야 한다는 의미를 더 강하게 나타내요.

초등 필수 영단어   **wash one's hands** 손을 씻다

소리 내어 읽어 보기   원어민 선생님을 따라서 3번 말해 보세요.

음성 듣기   패턴 복습

I / have to / wash / my / hands.
I have to / wash my hands.
I have to wash my hands.

오늘의 문장을 연습한 만큼 스마일에 동그라미 해보세요.
연습이 끝났다면 왕 스마일에 표시!

Let's talk! 이번 주에 배운 문장으로 가족들과 함께 대화를 주고받아 보세요.

Mom, is there any pizza left?

엄마, 남은 피자가 좀 있나요?

Yes. Do you want some?

그럼. 좀 줄까?

Are there any questions?

질문들이 좀 있나요?

Yes, I have one.

네, 저 (질문) 하나 있어요.

August

19

[nineteenth]

Let's talk! 이번 주에 배운 문장으로 가족들과 함께 대화를 주고받아 보세요.

Did you **lock the door?**
너는 문을 잠갔니?

Oh, I don't **remember.**
엇, 기억이 안 나요.

Did you **finish your homework?**
너 숙제 끝냈니?

Not yet. I'm doing it now.
아직요. 지금 하고 있어요.

• **remember** 기억하다   • **not yet** 아직도 (~않다)   • **now** 지금

다음 문장 패턴은 나중에 알아보기로 해요.

I'm -ing ~.
나는 ~하고 있어.

▶ 37th week

I can **ride a bike.**

나는 자전거를 탈 수 있어.

I can _____ .

나는 ~할 수 있어.

초등 필수 영단어　　　**ride** 타다　**bike** 자전거

소리 내어 읽어 보기　　원어민 선생님을 따라서 3번 말해 보세요.

음성 듣기

패턴 복습

I / can / ride / a bike.
I can / ride a bike.
I can ride a bike.

오늘의 문장을 연습한 만큼 스마일에 동그라미 해보세요.
연습이 끝났다면 왕 스마일에 표시!

Let's speak! 이번 주에 배운 문장을 복습해 보세요.

Did you **get hurt?** 너는 다쳤어?

Did you **hear the news?** 너는 그 소식을 들었니?

Did you **lock the door?** 너는 문을 잠갔니?

Did you **see the movie?** 너는 그 영화를 봤니?

Did you **finish your homework?**

너는 너의 숙제를 끝냈니?

이번 주에 배운 패턴과 함께 다음과 같은 표현도 말해 보세요.

Did you ~?
너는 ~했어?

- **get my message** 내 메시지를 받다
- **clean your room** 방을 청소하다

I can play the piano.

나는 피아노를 칠 수 있어.

I can [   ].

나는 ~할 수 있어.

초등 필수 영단어   **play** (악기를) 연주하다   **piano** 피아노

소리 내어 읽어 보기   원어민 선생님을 따라서 3번 말해 보세요.

음성듣기   패턴 복습

I / can / play / the piano.
I can / play the piano.
I can play the piano.

오늘의 문장을 연습한 만큼 스마일에 동그라미 해보세요.
연습이 끝났다면 왕 스마일에 표시!

Did you finish your homework?

너는 너의 숙제를 끝냈니?

Did you _____ **?**

너는 ~했어?

초등 필수 영단어 finish 끝내다 homework 숙제

소리 내어 읽어 보기 원어민 선생님을 따라서 3번 말해 보세요.

음성 듣기   패턴 복습

Did / you / finish / your / homework?
Did you finish / your homework?
Did you finish your homework?

오늘의 문장을 연습한 만큼 스마일에 동그라미 해보세요.
연습이 끝났다면 왕 스마일에 표시!

I can swim well.

나는 수영을 잘할 수 있어.

I can _____.

나는 ~할 수 있어.

초등 필수 영단어   **swim** 수영하다   **well** 잘

소리 내어 읽어 보기   원어민 선생님을 따라서 3번 말해 보세요.

음성 듣기   패턴 복습

I / can / swim / well.
I can / swim well.
I can swim well.

오늘의 문장을 연습한 만큼 스마일에 동그라미 해보세요.
연습이 끝났다면 왕 스마일에 표시!

Did you see the movie?

너는 그 영화를 봤니?

Did you _____ ?

너는 ~했어?

초등 필수 영단어

see 보다   movie 영화

소리 내어 읽어 보기   원어민 선생님을 따라서 3번 말해 보세요.

음성듣기

패턴복습

Did / you / see / the movie?
Did you see / the movie?
Did you see the movie?

오늘의 문장을 연습한 만큼 스마일에 동그라미 해보세요.
연습이 끝났다면 왕 스마일에 표시!

I can't hear you.

나는 네 말을 들을 수 없어. (네 말이 잘 안 들려.)

I can't _____.

나는 ~할 수 없어.

초등 필수 영단어 **hear** 듣다

소리 내어 읽어 보기 원어민 선생님을 따라서 3번 말해 보세요.

음성듣기 패턴복습

I / can't / hear / you.
I can't / hear you.
I can't hear you.

오늘의 문장을 연습한 만큼 스마일에 동그라미 해보세요.
연습이 끝났다면 왕 스마일에 표시!

Did you **lock the door?**

너는 문을 잠갔니?

- -

Did you _____ ?

너는 ~했어?

초등 필수 영단어   **lock** 잠그다   **door** 문

소리 내어 읽어 보기   원어민 선생님을 따라서 3번 말해 보세요.

음성 듣기   패턴 복습

Did / you / lock / the door?
Did you lock / the door?
Did you lock the door?

오늘의 문장을 연습한 만큼 스마일에 동그라미 해보세요.
연습이 끝났다면 왕 스마일에 표시!

I can't find my glasses.

나는 내 안경을 찾을 수 없어.

I can't _____ **.**

나는 ~할 수 없어.

초등 필수 영단어 find 찾다, 발견하다 glasses 안경

소리 내어 읽어 보기 원어민 선생님을 따라서 3번 말해 보세요.

음성 듣기

패턴 복습

I / can't / find / my / glasses.
I can't find / my glasses.
I can't find my glasses.

오늘의 문장을 연습한 만큼 스마일에 동그라미 해보세요.
연습이 끝났다면 왕 스마일에 표시!

Did you hear the news?

너는 그 소식을 들었니?

Did you _____ ?

너는 ~했어?

초등 필수 영단어

hear 듣다   **news** 소식, 뉴스

소리 내어 읽어 보기   원어민 선생님을 따라서 3번 말해 보세요.

음성 듣기

패턴 복습

Did / you / hear / the news?
Did you hear / the news?
Did you hear the news?

오늘의 문장을 연습한 만큼 스마일에 동그라미 해보세요.
연습이 끝났다면 왕 스마일에 표시!

Let's speak! 이번 주에 배운 문장을 복습해 보세요.

I can **ride a bike.** 나는 자전거를 탈 수 있어.

I can **play the piano.** 나는 피아노를 칠 수 있어.

I can **swim well.** 나는 수영을 잘할 수 있어.

I can't **hear you.** 네 말이 잘 안 들려.

I can't **find my glasses.**
나는 내 안경을 찾을 수 없어.

이번 주에 배운 패턴과 함께 다음과 같은 표현도 말해 보세요.

I can ~.
나는 ~할 수 있어.

I can't ~.
나는 ~할 수 없어.

- **play the violin** 바이올린을 켜다
- **go out** 나가다, 외출하다
- **wait for you** 너를 기다리다
- **believe it** 그것을 믿다

Did you **get hurt**?

너는 다쳤어?

Did you _____ **?**

너는 ~했어?

초등 필수 영단어   **hurt** 다친

소리 내어 읽어 보기   원어민 선생님을 따라서 3번 말해 보세요.

음성 듣기   패턴 복습

Did / you / get / hurt?
Did you / get hurt?
Did you get hurt?

오늘의 문장을 연습한 만큼 스마일에 동그라미 해보세요.
연습이 끝났다면 왕 스마일에 표시!

Let's talk! 이번 주에 배운 문장으로 가족들과 함께 대화를 주고받아 보세요.

Can you **play the violin?**
너는 바이올린을 켤 수 있니?

No, but I can **play the piano.**
아니, 하지만 나는 피아노를 칠 수 있어.

I can't **find my glasses.**
내 안경을 찾을 수가 없구나.

They are on my desk.
그건 제 책상 위에 있어요.

- **but** 하지만, 그러나 - **they** 그들, 그것들 - **on** ~ 위에 - **desk** 책상

다음 문장 패턴은 나중에 알아보기로 해요.

Can you ~?
너 ~할 수 있어? / 너 ~좀 해 줄래?

▶ 23rd week

Let's talk! 이번 주에 배운 문장으로 가족들과 함께 대화를 주고받아 보세요.

Are you telling the truth?
너 사실을 얘기하고 있는 거지?

Yes, I didn't lie to you.
그래, 난 너에게 거짓말하지 않았어.

Oh, it's raining.
I didn't bring my umbrella.
이런, 비가 오네. 난 우산을 가져오지 않았는데.

Let's share mine.
내 것(내 우산) 같이 쓰자.

• **tell the truth** 사실을 말하다   • **share** 함께 쓰다, 공유하다   • **mine** 나의 것

다음 문장 패턴은 나중에 알아보기로 해요.

Let's ~.
~ 하자.

▶ 48th week

You can **do better.**

너는 더 잘할 수 있어.

You can _____.

너는 ~할 수 있어. / 너는 ~해도 돼.

초등 필수 영단어 **do** 하다 **better** 더 잘, 더 좋은

소리 내어 읽어 보기 원어민 선생님을 따라서 3번 말해 보세요.

음성 듣기

패턴 복습

You / can / do / better.
You can / do better.
You can do better.

오늘의 문장을 연습한 만큼 스마일에 동그라미 해보세요.
연습이 끝났다면 왕 스마일에 표시!

Let's speak! 이번 주에 배운 문장을 복습해 보세요.

I didn't **say that.** 나는 그렇게 말하지 않았어.

I didn't **eat dinner.** 나는 저녁을 먹지 않았어.

I didn't **lie to you.** 나는 너에게 거짓말하지 않았어.

I didn't **get enough sleep.**
나는 잠을 충분히 자지 않았어.

I didn't **bring an umbrella.**
나는 우산을 가져오지 않았어.

이번 주에 배운 패턴과 함께 다음과 같은 표현도 말해 보세요.

I didn't ~.
나는 ~하지 않았어.

- **tell anyone** 누군가에게 말하다
- **do anything wrong** 무언가 잘못된 것을 하다

You can go home.

너는 집에 가도 돼.

- -

You can _____ .

너는 ~할 수 있어. / 너는 ~해도 돼.

초등 필수 영단어   **go** 가다   **home** 집에, 집으로

소리 내어 읽어 보기   원어민 선생님을 따라서 3번 말해 보세요.

음성 듣기

패턴 복습

You / can / go / home.
You can / go home.
You can go home.

오늘의 문장을 연습한 만큼 스마일에 동그라미 해보세요.
연습이 끝났다면 왕 스마일에 표시!

10

[tenth]

I didn't bring an umbrella.

나는 우산을 가져오지 않았어.

I didn't _____ **.**

나는 ~하지 않았어.

초등 필수 영단어

bring 가져오다 **umbrella** 우산

소리 내어 읽어 보기

원어민 선생님을 따라서 3번 말해 보세요.

음성듣기

패턴 복습

I / did not / bring / an umbrella.
I didn't / bring an umbrella.
I didn't bring an umbrella.

*didn't은 did not을 줄인 말이에요.

오늘의 문장을 연습한 만큼 스마일에 동그라미 해보세요.
연습이 끝났다면 왕 스마일에 표시!

You can **take it.**

너는 그것을 가져도 돼.

You can   .

너는 ~할 수 있어. / 너는 ~해도 돼.

초등 필수 영단어

take 가져가다, 가지다   **it** 그것

소리 내어 읽어 보기

원어민 선생님을 따라서 3번 말해 보세요.

음성듣기

패턴복습

You / can / take / it.
You can / take it.
You can take it.

오늘의 문장을 연습한 만큼 스마일에 동그라미 해보세요.
연습이 끝났다면 왕 스마일에 표시!

I didn't get enough sleep.

나는 잠을 충분히 자지 않았어.

I didn't _____.

나는 ~하지 않았어.

초등 필수 영단어 **get sleep** 잠을 자다 **enough** 충분한

소리 내어 읽어 보기 원어민 선생님을 따라서 3번 말해 보세요.

음성 듣기 패턴 복습

I / did not / get / enough / sleep.
I didn't / get enough sleep.
I didn't get enough sleep.

*didn't은 did not을 줄인 말이에요.

오늘의 문장을 연습한 만큼 스마일에 동그라미 해보세요.
연습이 끝났다면 왕 스마일에 표시!

You can sit here.

너는 여기 앉아도 돼.

You can   .

너는 ~할 수 있어. / 너는 ~해도 돼.

초등 필수 영단어   sit 앉다 here 여기에

소리 내어 읽어 보기   원어민 선생님을 따라서 3번 말해 보세요.

음성 듣기

패턴 복습

You / can / sit / here.
You can / sit here.
You can sit here.

오늘의 문장을 연습한 만큼 스마일에 동그라미 해보세요.
연습이 끝났다면 왕 스마일에 표시!

I didn't lie to you.

나는 너에게 거짓말하지 않았어.

I didn't   .

나는 ~하지 않았어.

초등 필수 영단어　　**lie to** ~에게 거짓말하다

소리 내어 읽어 보기　　원어민 선생님을 따라서 3번 말해 보세요.

음성 듣기　　패턴 복습

I / did not / lie / to / you.
I didn't / lie to you.
I didn't lie to you.

*didn't은 did not을 줄인 말이에요.

오늘의 문장을 연습한 만큼 스마일에 동그라미 해보세요.
연습이 끝났다면 왕 스마일에 표시!

You can borrow mine.

너는 내 것을 빌려 써도 돼.

You can _____.

너는 ~할 수 있어. / 너는 ~해도 돼.

초등 필수 영단어 borrow 빌리다   mine 내 것

소리 내어 읽어 보기 원어민 선생님을 따라서 3번 말해 보세요.

음성 듣기   패턴 복습

You / can / borrow / mine.
You can / borrow mine.
You can borrow mine.

오늘의 문장을 연습한 만큼 스마일에 동그라미 해보세요.
연습이 끝났다면 왕 스마일에 표시!

I didn't eat dinner.

나는 저녁을 먹지 않았어.

I didn't _____.

나는 ~하지 않았어.

초등 필수 영단어　　eat 먹다　　dinner 저녁식사

소리 내어 읽어 보기　　원어민 선생님을 따라서 3번 말해 보세요.

음성 듣기　　패턴 복습

I / did not / eat / dinner.
I didn't / eat dinner.
I didn't eat dinner.
*didn't은 did not을 줄인 말이에요.

오늘의 문장을 연습한 만큼 스마일에 동그라미 해보세요.
연습이 끝났다면 왕 스마일에 표시!

Let's speak! 이번 주에 배운 문장을 복습해 보세요.

You can **do better.** 너는 더 잘할 수 있어.

You can **go home.** 너는 집에 가도 돼.

You can **take it.** 너는 그것을 가져도 돼.

You can **sit here.** 너는 여기 앉아도 돼.

You can **borrow mine.** 너는 내 것을 빌려 써도 돼.

이번 주에 배운 패턴과 함께 다음과 같은 표현도 말해 보세요.

You can ~.
너는 ~할 수 있어. / 너는 ~해도 돼.

- **make it** 해내다
- **go first** 먼저 가다
- **play computer games** 컴퓨터 게임을 하다

I didn't say that.

나는 그것을 말하지 않았어.
[그렇게 말하지 않았어.]

- -

I didn't _____.

나는 ~하지 않았어.

초등 필수 영단어　　**say** 말하다

소리 내어 읽어 보기　　원어민 선생님을 따라서 3번 말해 보세요.

음성 듣기

패턴 복습

I / did not / say / that.
I didn't / say that.
I didn't say that.

*didn't은 did not을 줄인 말이에요.

오늘의 문장을 연습한 만큼 스마일에 동그라미 해보세요.
연습이 끝났다면 왕 스마일에 표시!

Let's talk! 이번 주에 배운 문장으로 가족들과 함께 대화를 주고받아 보세요.

I can't **jump rope well.**

저는 줄넘기를 잘 못 해요.

Don't worry. You can **do better.**

걱정하지 마. 너는 더 잘할 수 있어.

I don't **have a pencil.**

나는 연필이 없어.

You can **borrow mine.**

너는 내 것(내 연필)을 빌려 써도 돼.

• **jump rope** 줄넘기하다 • **well** 잘

다음 문장 패턴은 나중에 알아보기로 해요.

Don't ~.
~하지 마.

▶ 46th week

August

5

[fifth]

31st week

Let's talk! 이번 주에 배운 문장으로 가족들과 함께 대화를 주고받아 보세요.

Where is **your backpack?**

네 책가방 어디에 있니?

I put it **on my desk.**

제 책상 위에 뒀어요.

Mom, where did you **put my soccer ball?**

엄마, 제 축구공 어디에 두셨어요?

I put it **under your bed.**

네 침대 아래에 두었어.

• **backpack** 책가방, 배낭 • **soccer ball** 축구공

다음 문장 패턴은 나중에 알아보기로 해요.

Where is ~?
~는 어디에 있어?

▶ 46th week

Where did you ~?
너는 어디에서 ~했어?

▶ 50th week

Can I help you?

제가 당신을 도와 드려도 될까요?
[도와 드릴까요?]

Can I _____?

내가 ~해도 될까?

초등 필수 영단어

help 돕다

소리 내어 읽어 보기

원어민 선생님을 따라서 3번 말해 보세요.

음성듣기

패턴 복습

Can / I / help / you?
Can I / help you?
Can I help you?

오늘의 문장을 연습한 만큼 스마일에 동그라미 해보세요.
연습이 끝났다면 왕 스마일에 표시!

Let's speak! 이번 주에 배운 문장을 복습해 보세요.

I put it **on the desk.** 나는 그것을 책상 위에 두었어.

I put it **on the table.** 나는 그것을 테이블 위에 두었어.

I put it **in the fridge.** 나는 그것을 냉장고 안에 두었어.

I put it **in the drawer.** 나는 그것을 서랍 안에 두었어.

I put it **under my bed.**
나는 그것을 내 침대 아래에 두었어.

이번 주에 배운 패턴과 함께 다음과 같은 표현도 말해 보세요.

I put it ~.
나는 그것을 ~에 두었어(놓았어).

• **in my pocket** 내 주머니 안에
• **on the floor** 바닥에
• **in the box** 상자 안에

Can I join you?

내가 너와 함께 해도 될까?(내가 껴도 될까?)

Can I [   ] ?

내가 ~해도 될까?

join 함께 하다

원어민 선생님을 따라서 3번 말해 보세요.

음성 듣기

패턴 복습

Can / I / join / you?
Can I / join you?
Can I join you?

오늘의 문장을 연습한 만큼 스마일에 동그라미 해보세요.
연습이 끝났다면 왕 스마일에 표시!

I put it under my bed.

나는 그것을 내 침대 아래에 두었어.

I put it _____.

나는 그것을 ~에 두었어(놓았어).

초등 필수 영단어　　under ~ 아래에　　bed 침대

소리 내어 읽어 보기　　원어민 선생님을 따라서 3번 말해 보세요.

음성 듣기

패턴 복습

I / put / it / under / my / bed.
I put it / under my bed.
I put it under my bed.

오늘의 문장을 연습한 만큼 스마일에 동그라미 해보세요.
연습이 끝났다면 왕 스마일에 표시!

Can I go to the bathroom?

저 화장실에 가도 돼요?

Can I **　　　　　** ?

내가 ~해도 될까?

초등 필수 영단어　　**bathroom** 욕실, 화장실

소리 내어 읽어 보기　　원어민 선생님을 따라서 3번 말해 보세요.

음성 듣기　　패턴 복습

Can / I / go / to / the bathroom?
Can I / go to the bathroom?
Can I go to the bathroom?

오늘의 문장을 연습한 만큼 스마일에 동그라미 해보세요.
연습이 끝났다면 왕 스마일에 표시!

I put it **in the drawer.**

나는 그것을 서랍 안에 두었어.

I put it _____.

나는 그것을 ~에 두었어(놓았어).

초등 필수 영단어　　**drawer** 서랍

소리 내어 읽어 보기　　원어민 선생님을 따라서 3번 말해 보세요.

음성 듣기　패턴 복습

I / put / it / in / the drawer.
I put it / in the drawer.
I put it in the drawer.

오늘의 문장을 연습한 만큼 스마일에 동그라미 해보세요.
연습이 끝났다면 왕 스마일에 표시!

Can I watch TV now?

저 이제 TV 봐도 돼요?

Can I ⬭⬭⬭⬭⬭⬭⬭⬭ ?

내가 ~해도 될까?

초등 필수 영단어 **watch** 보다 **now** 지금, 이제

소리 내어 읽어 보기 원어민 선생님을 따라서 3번 말해 보세요.

음성듣기 패턴복습

Can / I / watch / TV / now?
Can I / watch TV / now?
Can I watch TV now?

오늘의 문장을 연습한 만큼 스마일에 동그라미 해보세요.
연습이 끝났다면 왕 스마일에 표시!

I put it **in the fridge.**

나는 그것을 냉장고 안에 두었어.

I put it _____ **.**

나는 그것을 ~에 두었어(놓았어).

초등 필수 영단어

fridge 냉장고

소리 내어 읽어 보기

원어민 선생님을 따라서 3번 말해 보세요.

음성 듣기

패턴 복습

I / put / it / in / the fridge.
I put it / in the fridge.
I put it in the fridge.

오늘의 문장을 연습한 만큼 스마일에 동그라미 해보세요.
연습이 끝났다면 왕 스마일에 표시!

6
June

8
August

Can I use your phone?

내가 네 (휴대)폰 좀 써도 될까?

Can I _____ ?

내가 ~해도 될까?

use 사용하다   **your** 너의   **phone** 전화, 휴대폰

원어민 선생님을 따라서 3번 말해 보세요.

음성 듣기

패턴 복습

Can / I / use / your / phone?
Can I / use / your phone?
Can I use your phone?

오늘의 문장을 연습한 만큼 스마일에 동그라미 해보세요.
연습이 끝났다면 왕 스마일에 표시!

I put it
on the table.

나는 그것을 테이블 위에 두었어.

I put it _____.

나는 그것을 ~에 두었어(놓았어).

table 테이블, 탁자

원어민 선생님을 따라서 3번 말해 보세요.

음성 듣기   패턴 복습

I / put / it / on / the table.
I put it / on the table.
I put it on the table.

오늘의 문장을 연습한 만큼 스마일에 동그라미 해보세요.
연습이 끝났다면 왕 스마일에 표시!

Let's speak! 이번 주에 배운 문장을 복습해 보세요.

Can I **help you**? 제가 도와 드릴까요?

Can I **join you**? 내가 너와 함께 해도 될까?

Can I **go to the bathroom**?
저 화장실에 가도 돼요?

Can I **watch TV now**? 저 이제 TV 봐도 돼요?

Can I **use your phone**?
내가 네 (휴대)폰 좀 써도 될까?

이번 주에 배운 패턴과 함께 다음과 같은 표현도 말해 보세요.

Can I ~?
내가 ~해도 될까?

- **ask a question** 질문하다
- **go with you** 너와 같이 가다

I put it
on the desk.

나는 그것을 책상 위에 두었어.

I put it _____.

나는 그것을 ~에 두었어(놓았어).

초등 필수 영단어

desk 책상

소리 내어 읽어 보기

음성 듣기

패턴 복습

원어민 선생님을 따라서 3번 말해 보세요.

I / put / it / on / the desk.
I put it / on the desk.
I put it on the desk.

오늘의 문장을 연습한 만큼 스마일에 동그라미 해보세요.
연습이 끝났다면 왕 스마일에 표시!

Let's talk! 이번 주에 배운 문장으로 가족들과 함께 대화를 주고받아 보세요.

We are playing soccer.
우리는 축구 하는 중이야.

Can I join you?
나도 껴도 돼?

Dad, can I watch TV now?
아빠, 저 이제 TV 봐도 돼요?

Sure, you can.
그럼, 봐도 돼.

• **play soccer** 축구를 하다

Let's talk! 이번 주에 배운 문장으로 가족들과 함께 대화를 주고받아 보세요.

I went to **a baseball game yesterday.**

난 어제 야구 경기에 갔어.

Really? Did you **have fun**?

정말? 재미있었어?

What did you do yesterday?

너는 어제 뭐 했어?

I went to **the museum.**

난 박물관에 갔어.

- **yesterday** 어제

다음 문장 패턴은 나중에 알아보기로 해요.

Did you ~?
너는 ~했어?

▶ 33rd week

Can you **skate**?

너는 스케이트 탈 수 있어?

Can you _____?

너 ~할 수 있어? / 너 ~좀 해 줄래?

*Can you ~?는 상대방이 뭔가를 할 수 있는지 물을 때도 쓰이지만, 부탁할 때도 사용해요.

초등 필수 영단어

skate 스케이트를 타다

소리 내어 읽어 보기

원어민 선생님을 따라서 3번 말해 보세요.

음성 듣기

패턴 복습

Can / you / skate?
Can you / skate?
Can you skate?

오늘의 문장을 연습한 만큼 스마일에 동그라미 해보세요.
연습이 끝났다면 왕 스마일에 표시!

Let's speak! 이번 주에 배운 문장을 복습해 보세요.

I went to **the movie theater.**

나는 영화관에 갔어.

I went to **the playground.** 나는 운동장에 갔어.

I went to **the museum.** 나는 박물관에 갔어.

I went to **a baseball game.**

나는 야구 경기에 갔어.

I went to **a swimming pool.** 나는 수영장에 갔어.

이번 주에 배운 패턴과 함께 다음과 같은 표현도 말해 보세요.

I went to ~.
나는 ~에 갔어.

- **the stadium** 경기장
- **the beach** 해변
- **the supermarket** 슈퍼마켓

Can you **fix it**?

너는 그것을 고칠 수 있어?

Can you ( ) ?

너 ~할 수 있어? / 너 ~좀 해 줄래?

초등 필수 영단어　　**fix** 고치다, 수리하다

소리 내어 읽어 보기　　원어민 선생님을 따라서 3번 말해 보세요.

음성 듣기　　패턴 복습

Can / you / fix / it?
Can you / fix it?
Can you fix it?

오늘의 문장을 연습한 만큼 스마일에 동그라미 해보세요.
연습이 끝났다면 왕 스마일에 표시!

I went to a swimming pool.

나는 수영장에 갔어.

I went to _____ .

나는 ~에 갔어.

swimming pool 수영장

원어민 선생님을 따라서 3번 말해 보세요.

음성듣기

패턴복습

I / went / to / a swimming pool.
I went / to a swimming pool.
I went to a swimming pool.

오늘의 문장을 연습한 만큼 스마일에 동그라미 해보세요.
연습이 끝났다면 왕 스마일에 표시!

Can you **solve this?**

너는 이거 풀 수 있어?

Can you ____ ?

너 ~할 수 있어? / 너 ~좀 해 줄래?

초등 필수 영단어 **solve** 풀다, 해결하다 **this** 이것

소리 내어 읽어 보기 원어민 선생님을 따라서 3번 말해 보세요.

음성 듣기   패턴 복습

Can / you / solve / this?
Can you / solve this?
Can you solve this?

오늘의 문장을 연습한 만큼 스마일에 동그라미 해보세요.
연습이 끝났다면 왕 스마일에 표시!

I went to a baseball game.

나는 야구 경기에 갔어.

I went to _____ .

나는 ~에 갔어.

초등 필수 영단어　　**baseball game** 야구 경기[시합]

소리 내어 읽어 보기　　원어민 선생님을 따라서 3번 말해 보세요.

음성 듣기　　패턴 복습

I / went / to / a baseball game.
I went / to a baseball game.
I went to a baseball game.

오늘의 문장을 연습한 만큼 스마일에 동그라미 해보세요.
연습이 끝났다면 왕 스마일에 표시!

Can you come here?

너 여기로 올 수 있어?

. . . .

Can you _____?

너 ~할 수 있어? / 너 ~좀 해 줄래?

초등 필수 영단어

come 오다 **here** 여기에, 여기로

소리 내어 읽어 보기

원어민 선생님을 따라서 3번 말해 보세요.

음성듣기

패턴 복습

Can / you / come / here?
Can you / come here?
Can you come here?

오늘의 문장을 연습한 만큼 스마일에 동그라미 해보세요.
연습이 끝났다면 왕 스마일에 표시!

I went to **the museum.**

나는 박물관에 갔어.

I went to _____ .

나는 ~에 갔어.

초등 필수 영단어   **museum** 박물관

소리 내어 읽어 보기   원어민 선생님을 따라서 3번 말해 보세요.

음성 듣기   패턴 복습

I / went / to / the museum.
I went / to the museum.
I went to the museum.

오늘의 문장을 연습한 만큼 스마일에 동그라미 해보세요.
연습이 끝났다면 왕 스마일에 표시!

Can you hold my bag?

내 가방 좀 들어 줄래?

Can you _____?

너 ~할 수 있어? / 너 ~좀 해 줄래?

초등 필수 영단어

hold 들고 있다 **bag** 가방

소리 내어 읽어 보기

원어민 선생님을 따라서 3번 말해 보세요.

음성듣기

패턴복습

Can / you / hold / my / bag?
Can you / hold my bag?
Can you hold my bag?

오늘의 문장을 연습한 만큼 스마일에 동그라미 해보세요.
연습이 끝났다면 왕 스마일에 표시!

I went to **the playground.**

나는 운동장에 갔어.

- -

I went to [   ].

나는 ~에 갔어.

초등 필수 영단어   **playground** 운동장, 놀이터

소리 내어 읽어 보기   원어민 선생님을 따라서 3번 말해 보세요.

음성듣기   패턴 복습

I / went / to / the playground.
I went / to the playground.
I went to the playground.

오늘의 문장을 연습한 만큼 스마일에 동그라미 해보세요.
연습이 끝났다면 왕 스마일에 표시!

Let's speak! 이번 주에 배운 문장을 복습해 보세요.

Can you **skate?** 너는 스케이트 탈 수 있어?

Can you **fix it?** 너는 그것을 고칠 수 있어?

Can you **solve this?** 너는 이거 풀 수 있어?

Can you **come here?** 너 여기로 올 수 있어?

Can you **hold my bag?** 내 가방 좀 들어 줄래?

이번 주에 배운 패턴과 함께 다음과 같은 표현도 말해 보세요.

Can you ~?
너 ~할 수 있어? / 너 ~좀 해 줄래?

- **swim well** 수영을 잘하다
- **play the piano** 피아노를 치다
- **help me** 나를 도와주다

I went to **the movie theater.**

나는 영화관에 갔어.

- -

I went to **_____.**

나는 ~에 갔어.

초등 필수 영단어

movie theater 영화관

소리 내어 읽어 보기

원어민 선생님을 따라서 3번 말해 보세요.

음성 듣기

패턴 복습

I / went / to / the movie theater.
I went / to the movie theater.
I went to the movie theater.

오늘의 문장을 연습한 만큼 스마일에 동그라미 해보세요.
연습이 끝났다면 왕 스마일에 표시!

Let's talk! 이번 주에 배운 문장으로 가족들과 함께 대화를 주고받아 보세요.

Can you **solve this**?
너는 이거 풀 수 있어?

I'm not **sure**. I will **try**.
잘 모르겠어. 한번 해볼게.

Can you **hold my bag**?
내 가방 좀 들어 주겠니?

Sure.
그럼요.

• **sure** 확신하는, 확실히 아는; 그럼, 그래 • **try** 해보다

다음 문장 패턴은 나중에 알아보기로 해요.

> **I will ~.**
> 나는 ~할 거야(할게).

▶ 24th week

Let's talk! 이번 주에 배운 문장으로 가족들과 함께 대화를 주고받아 보세요.

Mom! Look at this!
엄마! 이것 좀 보세요!

Shhh! You must be quiet.
쉿! 여기서는 반드시 조용히 해야 해.

I don't want to eat these carrots.
저는 이 당근을 먹고 싶지 않아요.

You must eat your vegetables.
넌 반드시 채소를 먹어야 해.

• **look at** ~을 보다   • **carrot** 당근

다음 문장 패턴은 나중에 알아보기로 해요.

I'm going to ~.
나는 ~할 거야(할게).

▶ 52nd week

I don't want to ~.
나는 ~하고 싶지 않아(하기 싫어).

▶ 48th week

I will wake up early.

나는 일찍 일어날 거야.

I will _____.

나는 ~할 거야(할게).

초등 필수 영단어

wake up (잠에서) 깨다   **early** 일찍

소리 내어 읽어 보기

원어민 선생님을 따라서 3번 말해 보세요.

음성듣기   패턴복습

I / will / wake up / early.
I will / wake up early.
I'll wake up early.

*I will은 I'll로 줄여 말할 수 있어요.

오늘의 문장을 연습한 만큼 스마일에 동그라미 해보세요.
연습이 끝났다면 왕 스마일에 표시!

Let's speak! 이번 주에 배운 문장을 복습해 보세요.

You must **be quiet.** 너는 반드시 조용히 해야 해.

You must **be careful.** 너는 반드시 조심해야 해.

You must **eat your vegetables.**
너는 반드시 채소를 먹어야 해.

You must **brush your teeth.**
너는 반드시 양치를 해야 해.

You must **wear a seat belt.**
너는 반드시 안전벨트를 매야 해.

이번 주에 배운 패턴과 함께 다음과 같은 표현도 말해 보세요.

You must ~.
너는 반드시 ~해야 해.

- **go to bed** 잠자리에 들다
- **choose one** 한 개를 고르다
- **stop at the red light** 빨간불에 멈추다

I will **wait for you.**

나는 너를 기다릴게.

I will _____.

나는 ~할 거야[할게].

wait for ~을 기다리다

원어민 선생님을 따라서 3번 말해 보세요.

음성 듣기　　패턴 복습

I / will / wait for / you.
I will / wait for you.
I'll wait for you.

*I will은 I'll로 줄여 말할 수 있어요.

오늘의 문장을 연습한 만큼 스마일에 동그라미 해보세요.
연습이 끝났다면 왕 스마일에 표시!

You must wear a seat belt.

너는 반드시 안전벨트를 매야 해.

You must _____.

너는 반드시 ~해야 해.

초등 필수 영단어

wear a seat belt 안전벨트를 매다

소리 내어 읽어 보기

원어민 선생님을 따라서 3번 말해 보세요.

음성 듣기

패턴 복습

You / must / wear / a seat belt.
You must / wear a seat belt.
You must wear a seat belt.

오늘의 문장을 연습한 만큼 스마일에 동그라미 해보세요.
연습이 끝났다면 왕 스마일에 표시!

I will take this one.

저는 이것을 살게요. (가게에서 - 이걸로 할게요.)

I will _____.

나는 ~할 거야(할게).

take 고르다, 사다

원어민 선생님을 따라서 3번 말해 보세요.

음성 듣기   패턴 복습

I / will / take / this / one.
I will / take this one.
I'll take this one.

*I will은 I'll로 줄여 말할 수 있어요.

오늘의 문장을 연습한 만큼 스마일에 동그라미 해보세요.
연습이 끝났다면 왕 스마일에 표시!

You must brush your teeth.

너는 반드시 양치를 해야 해.

● ●

You must _____.

너는 반드시 ~해야 해.

초등 필수 영단어

brush one's teeth (이를) 닦다

소리 내어 읽어 보기

원어민 선생님을 따라서 3번 말해 보세요.

음성 듣기

패턴 복습

You / must / brush / your / teeth.
You must / brush your teeth.
You must brush your teeth.

오늘의 문장을 연습한 만큼 스마일에 동그라미 해보세요.
연습이 끝났다면 왕 스마일에 표시!

We will take a trip.

우리는 여행을 갈 거야.

We will _____.

우리는 ~할 거야[할게].

take a trip 여행을 가다

원어민 선생님을 따라서 3번 말해 보세요.

음성듣기   패턴 복습

We / will / take / a trip.
We will / take a trip.
We'll take a trip.

*We will은 We'll로 줄여 말할 수 있어요.

오늘의 문장을 연습한 만큼 스마일에 동그라미 해보세요.
연습이 끝났다면 왕 스마일에 표시!

You must eat your vegetables.

너는 반드시 채소를 먹어야 해.

You must _____.

너는 반드시 ~해야 해.

초등 필수 영단어

vegetable 채소

소리 내어 읽어 보기

원어민 선생님을 따라서 3번 말해 보세요.

음성 듣기

패턴 복습

You / must / eat / your vegetables.
You must / eat your vegetables.
You must eat your vegetables.

오늘의 문장을 연습한 만큼 스마일에 동그라미 해보세요.
연습이 끝났다면 왕 스마일에 표시!

I will call you later.
내가 나중에 너한테 전화할게.

I will _____.

나는 ~할 거야[할게].

초등 필수 영단어   **call** 전화하다   **later** 나중에

소리 내어 읽어 보기   원어민 선생님을 따라서 3번 말해 보세요.

음성 듣기   패턴 복습

I / will / call / you / later.
I will / call you / later.
I'll call you later.

*I will은 I'll로 줄여 말할 수 있어요.

오늘의 문장을 연습한 만큼 스마일에 동그라미 해보세요.
연습이 끝났다면 왕 스마일에 표시!

You must **be careful.**

너는 반드시 조심해야 해.

• •

You must

너는 반드시 ~해야 해.

초등 필수 영단어   **careful** 조심하는

소리 내어 읽어 보기   원어민 선생님을 따라서 3번 말해 보세요.

음성 듣기

패턴 복습

You / must / be / careful.
You must / be careful.
You must be careful.

오늘의 문장을 연습한 만큼 스마일에 동그라미 해보세요.
연습이 끝났다면 왕 스마일에 표시!

Let's speak! 이번 주에 배운 문장을 복습해 보세요.

I will wake up early. 나는 일찍 일어날 거야.

I will wait for you. 나는 너를 기다릴게.

I will take this one. 저는 이것을 살게요.

We will take a trip. 우리는 여행을 갈 거야.

I will call you later. 내가 나중에 너한테 전화할게.

이번 주에 배운 패턴과 함께 다음과 같은 표현도 말해 보세요.

I will ~.
나는 ~할 거야(할게).

We will ~.
우리는 ~할 거야(할게).

- **be there** 그곳에 있다
- **explain it** 그것을 설명하다
- **be late** 지각하다, 늦다
- **give it a try** 한번 해 보다

You must **be quiet.**

너는 반드시 조용히 해야 해.

- -

You must   .

너는 반드시 ~해야 해.

*must는 상대방이 꼭 해야 하는 일을 강하게 말할 때 쓸 수 있어요.

초등 필수 영단어

quiet 조용한

소리 내어 읽어 보기

원어민 선생님을 따라서 3번 말해 보세요.

음성듣기   패턴복습

You / must / be / quiet.
You must / be quiet.
You must be quiet.

**오늘의 문장을 연습한 만큼 스마일에 동그라미 해보세요.
연습이 끝났다면 왕 스마일에 표시!**

Let's talk! 이번 주에 배운 문장으로 가족들과 함께 대화를 주고받아 보세요.

I will wait for you here.

나는 여기서 너를 기다릴게.

Okay. I will be back soon.

알겠어. 곧 돌아올게.

I will take this one, please.

저는 이걸로 할게요.

Okay. It's 5,000 won.

네. 5,000원입니다.

- **here** 여기에 · **be back** 돌아오다 · **soon** 곧
- **please** 다른 사람에게 정중하게 무엇을 부탁하거나 하라고 할 때 덧붙이는 말

July

15

[fifteenth]

Let's talk! 이번 주에 배운 문장으로 가족들과 함께 대화를 주고받아 보세요.

Are you feeling okay?

몸은 좀 괜찮니?

No, I'm not. I should stay home today.

아니, 괜찮지 않아. 나는 오늘 집에 있어야겠어.

Can I watch TV now?

저 지금 TV 봐도 돼요?

No, you should get some sleep.

아니, 넌 잠을 좀 자야 해.

• **with** ~와 함께 • **watch** 보다 • **now** 지금

I won't **be late.**

나는 늦지 않을 거야.

I won't _____.

나는 ~하지 않을 거야(~않을게).

초등 필수 영단어   **late** 늦은, 지각한

소리 내어 읽어 보기   원어민 선생님을 따라서 3번 말해 보세요.

I / will not / be / late.
I won't / be late.
I won't be late.

*won't는 will not을 줄인 말이에요.

음성 듣기   패턴 복습

오늘의 문장을 연습한 만큼 스마일에 동그라미 해보세요.
연습이 끝났다면 왕 스마일에 표시!

Let's speak! 이번 주에 배운 문장을 복습해 보세요.

I should **try it.** 나는 그것을 한번 해 봐야겠어.

I should **stay home.** 나는 집에 있어야 해.

You should **take the medicine.**
너는 약을 먹어야 해.

You should **be on time.** 너는 시간을 잘 지켜야 해.

You should **get some sleep.**
너는 잠을 좀 자야 해.

이번 주에 배운 패턴과 함께 다음과 같은 표현도 말해 보세요.

I should ~.
나는 ~해야 해. / 나는 ~해야겠어.

You should ~.
너는 ~해야 해.

- **ask someone else** 다른 사람에게 물어보다
- **think about it** 그것에 대해 생각하다
- **keep the promise** 약속을 지키다

I won't do it again.

나는 다시는 그것을 하지 않을 거야.

· ·

I won't _____ **.**

나는 ~하지 않을 거야(~않을게).

초등 필수 영단어   **again** 다시

소리 내어 읽어 보기   원어민 선생님을 따라서 3번 말해 보세요.

음성 듣기

패턴 복습

I / will not / do / it / again.
I won't do it / again.
I won't do it again.

*won't는 will not을 줄인 말이에요.

오늘의 문장을 연습한 만큼 스마일에 동그라미 해보세요.
연습이 끝났다면 왕 스마일에 표시!

You should get some sleep.

너는 잠을 좀 자야 해.

You should [ ]**.**

너는 ~해야 해.

초등 필수 영단어   **get sleep** 잠을 자다

소리 내어 읽어 보기   원어민 선생님을 따라서 3번 말해 보세요.

음성 듣기   패턴 복습

You / should / get / some / sleep.
You should / get some sleep.
You should get some sleep.

오늘의 문장을 연습한 만큼 스마일에 동그라미 해보세요.
연습이 끝났다면 왕 스마일에 표시!

I won't **lie to you.**

나는 너에게 거짓말하지 않을 거야.

I won't ⬜⬜⬜⬜⬜ .

나는 ~하지 않을 거야(~않을게).

초등 필수 영단어 **lie to** ~에게 거짓말하다

소리 내어 읽어 보기 원어민 선생님을 따라서 3번 말해 보세요.

음성 듣기

패턴 복습

I / will not / lie / to / you.
I won't lie / to you.
I won't lie to you.

*won't는 will not을 줄인 말이에요.

오늘의 문장을 연습한 만큼 스마일에 동그라미 해보세요.
연습이 끝났다면 왕 스마일에 표시!

July 12

[twelfth]

28th week

You should be on time.

너는 시간을 잘 지켜야 해.

You should _____.

너는 ~해야 해.

초등 필수 영단어 be on time 시간을 잘 지키다

소리 내어 읽어 보기 원어민 선생님을 따라서 3번 말해 보세요.

음성 듣기 패턴 복습

You / should / be / on time.
You should / be on time.
You should be on time.

오늘의 문장을 연습한 만큼 스마일에 동그라미 해보세요.
연습이 끝났다면 왕 스마일에 표시!

I won't **bother you.**

나는 너를 귀찮게 하지 않을 거야.

I won't _____ .

나는 ~하지 않을 거야(~않을게).

초등 필수 영단어

bother 귀찮게 하다

소리 내어 읽어 보기

원어민 선생님을 따라서 3번 말해 보세요.

음성 듣기

패턴 복습

I / will not / bother / you.
I won't / bother you.
I won't bother you.

*won't는 will not을 줄인 말이에요.

오늘의 문장을 연습한 만큼 스마일에 동그라미 해보세요.
연습이 끝났다면 왕 스마일에 표시!

You should take the medicine.

너는 약을 먹어야 해.

You should [   ].

너는 ~해야 해.

*should는 '~하는 게 좋겠어'와 같이 조언이나 충고를 표현할 수 있어요.

초등 필수 영단어   **take medicine** 약을 먹다

소리 내어 읽어 보기   원어민 선생님을 따라서 3번 말해 보세요.

음성 듣기   패턴 복습

You / should / take / the medicine.
You should / take the medicine.
You should take the medicine.

오늘의 문장을 연습한 만큼 스마일에 동그라미 해보세요.
연습이 끝났다면 왕 스마일에 표시!

I won't **tell anyone.**

나는 아무에게도 말하지 않을 거야.

I won't _____.

나는 ~하지 않을 거야(~않을게).

초등 필수 영단어   **tell** 말하다   **anyone** 아무도; 누군가

소리 내어 읽어 보기   원어민 선생님을 따라서 3번 말해 보세요.

음성듣기

패턴 복습

I / will not / tell / anyone.
I won't / tell anyone.
I won't tell anyone.
*won't는 will not을 줄인 말이에요.

오늘의 문장을 연습한 만큼 스마일에 동그라미 해보세요.
연습이 끝났다면 왕 스마일에 표시!

I should stay home.

나는 집에 있어야 해.

I should _____.

나는 ~해야 해. / 나는 ~해야겠어.

초등 필수 영단어   stay 머물다   home 집에, 집으로

소리 내어 읽어 보기   원어민 선생님을 따라서 3번 말해 보세요.

음성 듣기   패턴 복습

I / should / stay / home.
I should / stay home.
I should stay home.

오늘의 문장을 연습한 만큼 스마일에 동그라미 해보세요.
연습이 끝났다면 왕 스마일에 표시!

Let's speak! 이번 주에 배운 문장을 복습해 보세요.

I won't **be late.** 나는 늦지 않을 거야.

I won't **do it again.** 나는 다시는 그것을 하지 않을 거야.

I won't **lie to you.** 나는 너에게 거짓말하지 않을 거야.

I won't **bother you.** 나는 너를 귀찮게 하지 않을 거야.

I won't **tell anyone.** 나는 아무에게도 말하지 않을 거야.

이번 주에 배운 패턴과 함께 다음과 같은 표현도 말해 보세요.

I won't ~.
나는 ~하지 않을 거야(~않을게).

- **give up** 포기하다 • **be at home** 집에 있다

I should try it.

나는 그것을 한번 해 봐야겠어.

I should ⬚⬚⬚⬚⬚⬚⬚ .

나는 ~해야 해. / 나는 ~해야겠어.

초등 필수 영단어　　**try** 해 보다

소리 내어 읽어 보기　　원어민 선생님을 따라서 3번 말해 보세요.

음성 듣기

패턴 복습

I / should / try / it.
I should / try it.
I should try it.

오늘의 문장을 연습한 만큼 스마일에 동그라미 해보세요.
연습이 끝났다면 왕 스마일에 표시!

Let's talk! 이번 주에 배운 문장으로 가족들과 함께 대화를 주고받아 보세요.

Let's **meet in an hour.**

1시간 뒤에 만나자.

Okay. I won't **be late.**

알겠어. 늦지 않을게.

Can you **leave me alone?**

나 좀 혼자 있게 해줄래?(나 좀 내버려 둘래?)

Sorry. I won't **bother you.**

미안해. 귀찮게 하지 않을게.

• **meet** 만나다 • **hour** 시간 • **leave** (~인 상태로) 그대로 두다 • **alone** 혼자

다음 문장 패턴은 나중에 알아보기로 해요.

Let's ~.

~하자.

▶ 48th week

Let's talk! 이번 주에 배운 문장으로 가족들과 함께 대화를 주고받아 보세요.

Did Ben talk to you?
벤이 너에게 말을 걸었니?

No. He was so shy.
아니요. 그는 매우 수줍어했어요.

Did you have fun with Jane?
너는 제인이랑 즐거운 시간 보냈니?

Yes. She was so nice to me.
네. 그녀는 제게 매우 다정했어요.

• **talk to** ~에게 말을 걸다 • **have fun** 즐거운 시간을 보내다

다음 문장 패턴은 나중에 알아보기로 해요.

Did you ~?
너 ~했니?

▶ 33rd week

I was **surprised.**

나는 놀랐어.

I was _____.

나는 ~했어.

초등 필수 영단어

surprised 놀란

소리 내어 읽어 보기

원어민 선생님을 따라서 3번 말해 보세요.

음성듣기

패턴 복습

I / was / surprised.
I was / surprised.
I was surprised.

오늘의 문장을 연습한 만큼 스마일에 동그라미 해보세요.
연습이 끝났다면 왕 스마일에 표시!

Let's speak! 이번 주에 배운 문장을 복습해 보세요.

He was **so shy.** 그는 매우 수줍어했어.

He was **still asleep.** 그는 아직 자고 있었어.

He was **very friendly.** 그는 정말 친절했어.

She was **so nice to me.** 그녀는 내게 매우 다정했어.

She was **angry with me.** 그녀는 나에게 화가 났어.

이번 주에 배운 패턴과 함께 다음과 같은 표현도 말해 보세요.

He was ~.
그는 ~했어.

She was ~.
그녀는 ~했어.

- **careful** 조심성 있는
- **helpful** 도움이 되는
- **disappointed** 실망한
- **funny** 재미있는, 웃기는

I was **a little upset.**

나는 조금 속상했어.

- -

I was　　　　　　　　.

나는 ~했어.

초등 필수 영단어　　**a little** 약간, 조금　**upset** 속상한

소리 내어 읽어 보기　　원어민 선생님을 따라서 3번 말해 보세요.

음성 듣기

패턴 복습

I / was / a little / upset.
I was / a little upset.
I was a little upset.

오늘의 문장을 연습한 만큼 스마일에 동그라미 해보세요.
연습이 끝났다면 왕 스마일에 표시!

She was angry with me.

그녀는 나에게 화가 났어.

She was ( ).

그녀는 ~했어.

초등 필수 영단어   **angry** 화난

소리 내어 읽어 보기   원어민 선생님을 따라서 3번 말해 보세요.

음성 듣기

패턴 복습

She / was / angry / with me.
She was / angry with me.
She was angry with me.

오늘의 문장을 연습한 만큼 스마일에 동그라미 해보세요.
연습이 끝났다면 왕 스마일에 표시!

I was **very busy.**

나는 진짜 바빴어.

I was _____.

나는 ~했어.

초등 필수 영단어　　**very** 매우　**busy** 바쁜

소리 내어 읽어 보기　원어민 선생님을 따라서 3번 말해 보세요.

음성 듣기

패턴 복습

I / was / very / busy.
I was / very busy.
I was very busy.

오늘의 문장을 연습한 만큼 스마일에 동그라미 해보세요.
연습이 끝났다면 왕 스마일에 표시!

She was **so nice to me.**

그녀는 내게 매우 다정했어.

- -

She was _____.

그녀는 ~했어.

초등 필수 영단어   nice 다정한, 잘해주는

소리 내어 읽어 보기   원어민 선생님을 따라서 3번 말해 보세요.

음성듣기   패턴복습

She / was / so / nice / to me.
She was / so nice / to me.
She was so nice to me.

오늘의 문장을 연습한 만큼 스마일에 동그라미 해보세요.
연습이 끝났다면 왕 스마일에 표시!

I was **really worried.**

나는 정말 걱정했어.

I was _____ .

나는 ~했어.

초등 필수 영단어　　**really** 정말　**worried** 걱정하는

소리 내어 읽어 보기　원어민 선생님을 따라서 3번 말해 보세요.

음성 듣기　패턴 복습

I / was / really / worried.
I was / really worried.
I was really worried.

오늘의 문장을 연습한 만큼 스마일에 동그라미 해보세요.
연습이 끝났다면 왕 스마일에 표시!

He was very friendly.

그는 정말 친절했어.

Welcome to your
New class!

He was _____ .

그는 ~했어.

초등 필수 영단어   **friendly** 친절한

소리 내어 읽어 보기   원어민 선생님을 따라서 3번 말해 보세요.

음성듣기

패턴 복습

He / was / very / friendly.
He was / very friendly.
He was very friendly.

오늘의 문장을 연습한 만큼 스마일에 동그라미 해보세요.
연습이 끝났다면 왕 스마일에 표시!

I was late for school.

나는 학교에 지각했어.

- -

I was [   ].

나는 ~했어.

초등 필수 영단어　**late for** ~에 늦은, 지각한　**school** 학교

소리 내어 읽어 보기　원어민 선생님을 따라서 3번 말해 보세요.

음성 듣기　패턴 복습

I / was / late / for / school.
I was / late for school.
I was late for school.

오늘의 문장을 연습한 만큼 스마일에 동그라미 해보세요.
연습이 끝났다면 왕 스마일에 표시!

He was **still asleep.**

그는 아직 자고 있었어.

He was _____.

그는 ~했어.

초등 필수 영단어

still 아직   **asleep** 자고 있는

소리 내어 읽어 보기

원어민 선생님을 따라서 3번 말해 보세요.

음성듣기   패턴복습

He / was / still / asleep.
He was / still asleep.
He was still asleep.

오늘의 문장을 연습한 만큼 스마일에 동그라미 해보세요.
연습이 끝났다면 왕 스마일에 표시!

Let's speak! 이번 주에 배운 문장을 복습해 보세요.

I was **surprised.** 나는 놀랐어.

I was **a little upset.** 나는 조금 속상했어.

I was **very busy.** 나는 진짜 바빴어.

I was **really worried.** 나는 정말 걱정했어.

I was **late for school.** 나는 학교에 지각했어.

이번 주에 배운 패턴과 함께 다음과 같은 표현도 말해 보세요.

I was ~.
나는 ~했어.

- **excited** 신나는
- **hungry** 배고픈
- **tired** 피곤한
- **sick** 아픈

He was **so shy.**

그는 매우 수줍어했어.

- -

He was _____ .

그는 ~했어.

초등 필수 영단어　　**so** 정말, 아주, 너무나　　**shy** 수줍음을 많이 타는

소리 내어 읽어 보기　　원어민 선생님을 따라서 3번 말해 보세요.

음성듣기　　패턴 복습

He / was / so / shy.
He was / so shy.
He was so shy.

오늘의 문장을 연습한 만큼 스마일에 동그라미 해보세요.
연습이 끝났다면 왕 스마일에 표시!

7
July

Let's talk! 이번 주에 배운 문장으로 가족들과 함께 대화를 주고받아 보세요.

How was your test?

네 시험은 어땠니?

I was **really worried, but it was okay.**

저는 정말 걱정했는데, 괜찮았어요.

I was **late for school today.**

나 오늘 학교에 지각했어.

Did you **wake up late?**

늦게 일어난 거야?

• **test** 시험 • **today** 오늘 • **wake up** (잠에서) 깨다 • **late** 늦게

다음 문장 패턴은 나중에 알아보기로 해요.

Did you ~?
너는 ~했어?

▶ 33rd week